Il

Enciclop
diretta da l

44

In copertina: Paul Delvaux, *Hommage à Jules Verne*, 1971
Design: Alessandro Conti

Prima edizione: novembre 1994
Tascabili Economici Newton
Divisione della Newton Compton editori s.r.l.
© 1994 Newton Compton editori s.r.l.
Roma, Casella postale 6214

ISBN 88-7983-723-0

Stampato su carta Libra Classic della Cartiera di Kajaani
distribuita dalla Fennocarta s.r.l., Milano
Copertina stampata su cartoncino Fine Art Board della Cartiera di Aanekoski

Serena Foglia

I simboli del sogno

Tascabili Economici Newton

Indice

Introduzione

Come dicevo nel mio libro *Il sogno e le sue interpretazioni*[1], il sogno è l'esperienza più soggettiva e irripetibile che esista: nessuno può assistere al sogno di un altro né ripetere i propri. Inoltre il sogno è trasmissibile soltanto attraverso la mediazione delle parole che usiamo per raccontarlo.

Quale che sia il valore che vi si attribuisce, il punto di vista da cui si intende esaminarlo, la collocazione che si voglia dargli, il sogno sfugge a un'indagine oggettiva, incontrovertibile, «certa», un'indagine che ottemperi alle esigenze della «verifica».

Altrettanto può dirsi della sua *interpretazione*, che, applicandosi a un fenomeno sfuggente, non può che essere ambigua, o per lo meno molteplice. L'interpretazione tuttavia costituisce, dal tempo dei tempi, la *motivazione* per cui svegli ci si accosta al sogno.

Dalle antiche *Chiavi dei sogni* alle più recenti analisi del profondo, l'interpretazione cerca di stabilire un nesso tra le immagini oniriche e la realtà diurna. Poiché i due mondi hanno una dimensione e una struttura del tutto diverse, seguono leggi antitetiche e contraddittorie, il tentativo di equipararle risulta arduo.

L'interpretazione, anche se accorda il massimo spazio all'individualità del sognante, si basa su delle concezioni generali che ne condizionano il responso.

All'epoca di Artemidoro si chiedeva ai sogni di predire il futuro, oggi li si interroga per scrutare i segreti del passato e dell'inconscio. Non che l'interesse per le loro possibilità divinatorie sia scomparso, anzi, ma è per lo più visto come un retaggio di «superstizioni» da rifiutare in nome di una «razionalità» altrettanto rigida delle credenze che si propone di combattere.

Del resto, a ben pensarci, questo mutamento di direzione – verso l'ieri invece che verso il domani – è meno contraddittorio di

[1] Roma, Newton Compton editori, aprile 1994, in questa collana.

quanto sembra. Senza arrivare a sostenere che il «futuro non esiste», la sua correlazione con il passato è implicita nella vita e nella nostra concezione del tempo. (Agostino diceva che «Non esistono propriamente parlando tre tempi, il passato, il presente e il futuro, bensì soltanto tre presenti: il presente del passato, il presente del presente, il presente del futuro».)

Per quanto riguarda i sogni, mi sembra che essi rappresentino in modo emblematico il sopraccitato concetto: quando li si usa a scopo divinatorio si proietta il passato verso il futuro (qualsiasi previsione deve tener conto della situazione «precedente»), se invece si chiede alle immagini oniriche di illuminarci sul passato se ne ricavano implicitamente delle indicazioni su ciò che il futuro ci serba (una più ampia conoscenza del passato modifica il modo di porci rispetto al domani).

Tornando all'interpretazione, tra le difficoltà che si presentano emerge quella riguardante i *simboli* (i sogni si esprimono con dei simboli e i simboli sono altrettanto ambigui dei sogni). La definizione – «Un simbolo è un qualcosa che sta al posto di qualcos'altro» – non ci aiuta gran che a chiarirli. Se invece pensiamo che sono un'esperienza comune possiamo forse afferrarne il senso.

Ognuno di noi, consapevole o meno, «usa» e «produce» simboli. Li «usa» quando parla (il linguaggio è un sistema codificato di simboli); quando traspone delle esperienze sensoriali in richiami, idee o sentimenti (un luogo dove, per esempio, sia capitata un'esperienza negativa diventa il simbolo di quello stato d'animo, anche se, ovviamente, il luogo in sé mantiene delle caratteristiche «neutre»); quando gli si rivelano motivazioni arcaiche o archetipiche (preesistenti alla sua personale esperienza).

La *produzione* di simboli si dà ogniqualvolta il processo immaginativo – proprio a ogni essere umano – entra in funzione, promuovendo la creatività, le fantasticherie, i sogni. Si dirà che la creatività, intesa come realizzazione di un'opera d'arte, di pensiero o di scienza, non è cosa da tutti, pure c'è una creatività che tutti posseggono, che si manifesta nella quotidianità della vita, nel modo di porsi rispetto a essa, poco importa quanto sia corrivo o modesto l'argomento da cui si diparte.

I simboli, che la nostra psiche produce, si collegano inoltre all'ambiente, alla società di cui facciamo parte. È, per esempio, del tutto improbabile che nei sogni di chi è vissuto due secoli or sono apparissero aerei o computer, mentre è normale che essi si presentino nelle immagini dei nostri. Gli studi antropologici ed etnologici hanno del resto messo in luce ciò che Bastide chiama «il retroscena del sogno», per cui il sognante si ispira al più vasto scenario delle rappresentazioni collettive che la civiltà in cui vive gli offre. Questa incidenza è un ulteriore fattore di cui tener conto nell'interpretazione dei simboli in generale e di quelli onirici in particolare.

L'interpretazione dei simboli presenta dunque delle difficoltà non dissimili dall'interpretazione dei sogni. Se li si analizza da un punto di vista strettamente razionale, si finisce con il comprimerli in schemi che li snaturano. Ciò non significa tuttavia che i simboli siano privi di una logica interna, di una loro precisa connessione evocativa e analogica. Sarebbe perciò altrettanto errato estendere le concatenazioni che se ne possono derivare oltre al loro effettivo «contenuto». Anche le concatenazioni «meccaniche» per cui partendo, mettiamo, da «filo» si arriva a «fecondità» (filo-erba, erba-prato, prato-mucca, mucca-vitello, vitello-riproduzione, riproduzione-fecondità) ne alterano lo spirito, quindi la «risonanza» che suscitano in noi. «Analizzare intellettualmente un simbolo», come ha detto con una brillante metafora Pierre Emmanuel, «significa pelare una cipolla per trovare la cipolla. Non si può "apprendere" un simbolo per riduzione progressiva di ciò che non gli appartiene; esso esiste solo in virtù del contenuto sfuggente che gli è proprio. La conoscenza simbolica è una e indivisibile, può avvenire soltanto attraverso l'intuizione di quell'altro termine che essa significa e nasconde allo stesso tempo.»[2]

C'è infine un'ulteriore trappola che i simboli ci tendono: proprio perché richiedono un'interpretazione «intuitiva», può accadere che l'interprete vi immetta la sua personale visione della vita, la sua esperienza intellettuale, la mentalità del suo tempo, gonfiandoli o sgonfiandoli a suo arbitrio. È ciò che talvolta succede nell'interpretazione dei sogni quando «si vogliono far tornare i conti». È accaduto agli antichi oniromanti che dovevano far quadrare le immagini oniriche con i «fatti» che si supponeva essi annunciassero. Il vaticinio di Aristandro che pronosticava la vittoria di Alessandro Magno è uno dei numerosi esempi.

Accade oggi agli psicoanalisti (accadde allo stesso Freud), quando attribuiscono un valore univoco alle immagini che hanno, per

[2] Pierre Emmanuel, «Polarité du symbole», in *Études Carmélitaines*, Paris 1960, p. 79.

esempio, forme concave o convesse, collegando le prime all'organo sessuale femminile e le seconde a quello maschile. Un treno o un coltello non rappresentano necessariamente la virilità; una porta o una conchiglia non indicano pulsioni obbligatoriamente muliebri. La trappola sta, in questo caso, nella rigidità dell'impostazione che, per quanto riguarda Freud, si incentrò sulle pulsioni sessuali e sulla loro rimozione, ma che si ripete, sia pur in altre direzioni, nella concezione di Adler che enfatizzò la «volontà di potenza», o in quella di Rank che privilegiò il «trauma della nascita». Queste interpretazioni, come le numerose proliferate dal ceppo freudiano, mutilano o esaltano un particolare aspetto dei simboli, riducendone lo *spirito* e la *risonanza* di cui si diceva più sopra.

A questo punto verrebbe da chiedersi se, viste le difficoltà che l'interpretazione presenta, non sarebbe più semplice rinunciarvi, abbandonando i sogni nel limbo della dimenticanza. Ma poiché ignorare i sogni significherebbe abbandonare una parte di noi stessi – come affermare che la consapevole sia la più importante? – e poiché dai sogni ci giungono messaggi altrimenti irrecuperabili, messaggi che indicano insospettate intuizioni, possibili alternative, crediamo che la loro interpretazione sia un'inderogabile, archetipica esigenza.

Chi condivide quest'idea, si trova tuttavia a dover risolvere un ulteriore problema: come dipanare i messaggi onirici? Come distinguere tra le molte immagini le significative? Dove trovare una guida? A chi rivolgersi? A chi chieder lumi?

Poiché, al giorno d'oggi, gli interpreti qualificati che non siano psicoterapeuti sono praticamente scomparsi, è ad essi che bisogna rivolgersi. Dallo psicologo o dall'analista ci si reca, tuttavia, solo nei casi in cui si sia afflitti da turbe patologiche o in preda a gravi crisi depressive, difficilmente per il semplice desiderio di scoprire il significato dei propri sogni. Benché personalmente sia del parere che l'indagine psicoanalitica, applicata alle persone sane e cosiddette «normali», si dimostrerebbe positiva e giovevole (per identificare i molteplici risvolti della personalità e cercare di armonizzarli, per prevenire il manifestarsi dei conflitti, per ampliare e compensare l'unilaterale immagine che abbiamo di noi stessi), l'ingiustificata ma diffusa diffidenza verso queste terapie, la possibilità di un loro uso improprio, le mode che, specie recentemente, vi si sono sovrapposte, le confusioni dovute a un'inadeguata divulgazione, nonché l'impegno, anche economico, che esse richiedono, costituiscono degli ostacoli tanto più resistenti quanto più forte è la vischiosità dei pregiudizi che li motiva.

Se escludiamo le *Chiavi dei sogni* che nella loro interpretazione generalizzata e frammentaria non permettono di collegare i contenuti onirici con la specifica personalità del sognante, le alternative non sembrano molte.

Tra queste ce n'è una che andrebbe, a mio avviso, tenuta in maggior conto di quanto generalmente si faccia, ed è l'*auto-interpretazione*. Pur non raccogliendo il favore degli addetti ai lavori per i suoi evidenti limiti[3], l'auto-interpretazione, se usata con le necessarie cautele, potrebbe, a mio avviso, essere uno strumento per intendere almeno una parte del messaggio onirico, soprattutto per impedire che esso sfugga alla memoria della mente vigile. *Ricordare i sogni* è il primo passo per dar loro uno spazio, per porsi *dalla parte* dell'inconsapevole, per accogliere la «poesia involontaria» che essi racchiudono.

Per tentarla bisogna tuttavia avere ben chiaro che essa non può in nessun caso essere terapeutica, non può cioè sanare processi patologici, né risolvere nevrosi, blocchi o censure.

L'auto-interpretazione non è un'alternativa all'indagine psicoanalitica. Può però essere, per l'appunto, un *processo ausiliario* atto a nutrire l'immaginazione, ad ampliare il potenziale creativo, una possibilità di affacciarsi sul ciglio di quell'Ignoto, di quell'*altro* da noi che i sogni ci segnalano[4].

---

[3] Roberto Sicuteri, per esempio, scrive: «L'auto-interpretazione, che poi è auto-analisi, non è oggi proponibile. La ragione di ciò sta proprio nella ormai acquisita limitazione dell'esperienza di Freud che deriva appunto dal non essersi analizzato doverosamente con un collega. Così, teoria degli istinti, libido, Edipo e traslazione rimasero "fissati" nella rigidità della interpretazione soggettiva ortodossa, ché il genio non bastò a Freud per superarla. Oggi il freudismo ha camminato molto e consente una affermazione di questo genere. Campbell e Hinzie definiscono oggi l'auto-interpretazione così: "Non ci si può aspettare che l'auto-analisi abbia successo salvo che per comprendere gli aspetti più superficiali del proprio sé. Il valore psicoterapeutico è quindi scarso e viene considerato da psichiatri e psicologi soltanto come *processo ausiliario*"». Pur concordando con Sicuteri e con gli autori citati per quanto riguarda l'indagine psicoanalitica, e pur ammettendo che se un individuo fosse in grado di fare valide auto-interpretazioni ciò equivarrebbe a un'assenza di temi nevrotici, blocchi e censure, ciò non impedisce alle persone cosiddette sane e normali di chiedersi il significato dei sogni e di interpretarli. La dimensione onirica è infatti così polivalente – come spero risulti da questo libro – da permettere un approccio altrettanto multiforme.

[4] Quanto alle «tecniche» dell'auto-interpretazione esse non sono mutate di molto da quelle accennate a proposito di Saint-Denis. Il loro apprendimento richiede pazienza, costanza, soprattutto umiltà.

In questo senso va letto questo *glossario di simboli*. Si tratta di un elenco tutt'altro che completo da cui abbiamo escluso le immagini oniriche che si configurano in forma di persone, la cui interpretazione non può prescindere dal «vissuto», dunque dal colloquio con il sognante, nonché gli archetipi della *madre* e del *padre* che per l'ampiezza dei contenuti richiederebbero un volume a parte.

L'elenco inoltre non arrischia e non pretende di dare una «spiegazione» dei sogni, né tanto meno una casistica delle loro molteplici implicazioni. Si limita al tentativo di individuare il *rapporto* tra i simboli e le immagini oniriche.

Così, per esempio, se sogno un leone, questo leone non ha né può avere lo stesso significato del leone sognato dal mio vicino o da altre innumerevoli persone. Tuttavia, il leone in sé ha un significato simbolico che mantiene in *tutti* i sogni.

Compito dell'interprete sarebbe dunque di mediare il significato dei due leoni: il simbolico e il soggettivo, o, meglio, rifarsi al simbolico per *comprendere* il soggettivo.

Interpretare i sogni vuol dire comprenderli.

E per comprenderli dobbiamo trovare un punto di contatto tra la forma che il pensiero assume nel sogno e quella che esso ha nello stato di veglia. Le immagini che il nostro io notturno produce, per quanto incongruenti e bizzarre, provengono dalla medesima mente che di giorno segue tutt'altri meccanismi. Questo punto di contatto, non potendo collocarsi nella realtà, va cercato nella trasposizione simbolica, che non determina ma sollecita, suggerisce, evoca.

Ecco allora che il doppio, l'inconscio, gli abissi e le vette della nostra psiche possono arricchirsi di un *materiale* che altrimenti andrebbe perduto.

Rivivere un sogno con la stessa emozione che si è provata sognandolo, riconoscervi una parte di sé, assumerne il messaggio è il miglior modo – forse l'unico – per accoglierlo e comprenderlo.

Nei sogni accade un qualcosa che la nostra mente stenta a capire: per quanto siano soggettivi, i sogni contengono il richiamo, sovente la rivisitazione, di idee, percezioni, esperienze comuni a tutti gli esseri umani. Sembra quasi che gli archetipi per passare attraverso il canale dell'io individuale – un canale forzatamente angusto – debbano restringersi, adattarsi alla personalità del singolo, per poi dilatarsi di nuovo nel sogno, nell'immaginazione creativa che gli è propria.

Questa potrebbe essere una delle ragioni per cui il sogno presenta quel *grande gioco del rovescio* (i santi sognano diavoli, i saggi anche sciocchezze, i criminali non solo delitti, i galantuomini anche malvagità), un gioco che conferma la dialettica degli opposti di cui è fatta la vita.

Le ombre del sogno

Prima di avventurarci nel complesso mondo dei simboli vorrei soffermarmi un momento sul rapporto tra sogno e ombra. Sogno e ombra si accostano, si attirano, si somigliano. L'ombra («le fuggevoli ombre del sogno») ci rammenta la caducità delle immagini oniriche, il loro dileguarsi alla luce del giorno, la loro impalpabile consistenza che, tuttavia, nel sogno ci appare più reale del reale. La parola ombra ha, tuttavia, un significato più vasto: nel dizionario della lingua italiana il Tommaseo vi dedica una quarantina di paragrafi che descrivono le proprietà dell'ombra dal punto di vista fisico e da quello metaforico. Per quanto riguarda il sogno, oltre a designare genericamente tutto ciò che vi appare, essa sta a indicare da una parte *i fantasmi, gli spettri, i revenants* e dall'altra il *doppio della persona che sogna.*

Nel mondo senza tempo del sogno, i morti appaiono come persone vive, li rivediamo con le loro espressioni, i gesti, le voci, gli sguardi che ci sono noti e che si riproducono così fedelmente da darci l'impressione che siano ancora in vita, tanto che, una volta svegli, stentiamo a persuaderci d'aver soltanto sognato.

Da secoli, anzi da millenni, si è creduto – la credenza perdura – che le anime dei defunti «ritornino» a visitarci nel sogno, che abbiano qualcosa da comunicarci, che vogliano avvertirci dei pericoli che ci sovrasterebbero o indicare la via da seguire, o più semplicemente continuare un dialogo interrotto.

In tutte le epoche, civiltà, latitudini il grande interrogativo della sopravvivenza dell'anima si è posto all'uomo ed è stato argomento e rovello di savi e iniziati, di teologi e filosofi, di sacerdoti e laici, di pensatori e mistici, di poeti e scienziati.

I contemporanei di Omero credevano che le anime dei morti bevessero il sangue ancora fumante dei sacrifici per riacquistare un momentaneo ricordo della vita terrena. Platone, riprendendo l'idea pitagorica della trasmigrazione dell'anima, concepì le successive reincarnazioni come necessarie per espiare una colpa originaria, di modo che all'anima fosse concesso di ritornare nel mondo delle idee, in uno stato di eterna e immutabile beatitudine. Concezione quest'ultima per certi versi simile a quella che nelle religioni orientali considera la metempsicosi un ciclo di nascite e morti verso la liberazione dal karma.

L'immaterialità dell'anima (la parola ha la stessa radice di *anémos*, vento, e lo stesso senso di *pneuma*, aria, soffio, respiro), il suo distinguersi dal corpo e sopravvivergli, presente nelle teologie precristiane, venne accolta e esaltata dal cristianesimo. Questo dualismo tra un principio materiale (il corpo) e uno spirituale (l'anima) percorre la storia del pensiero occidentale e si contrappone all'interpretazione monistica, che trae le sue origini dalla filosofia aristotelica e tende a riportare i due termini a una originaria unità.

Non possiamo qui addentrarci in una questione tanto complessa che ci porterebbe troppo lontano dal nostro argomento. Dobbiamo tuttavia rilevare che la sopravvivenza dell'anima alla morte del corpo è, per dirla con Jung, un archetipo tra i più possenti. Per la maggioranza dell'umanità supporre che la vita possa continuare indefinitamente al di là dell'attuale esistenza sembra essere altrettanto necessario che respirare e nutrirsi. E se qualcuno rabbrividisce al pensiero di sedere su una nuvola o di bruciare tra le fiamme dell'inferno in eterno, pure l'aspirazione all'immortalità è parte della nostra natura.

Ritornando alle *ombre*, all'apparire dei morti nel sogno, sia che si creda che il loro comunicare con noi, le loro voci, i loro gesti siano davvero messaggi delle loro anime, sia che le si consideri invece proiezioni della nostra psiche, di quella «conoscenza assoluta» che esisterebbe nel nostro inconscio, in entrambi i casi, poiché queste immagini si manifestano, continuiamo a chiederci che cosa significano.

A proposito della seconda ipotesi, sostenuta dalla recente psicologia (e cioè che tutto ciò che appare nei sogni è una raffigurazione dell'io che sogna), vorrei riferire l'opinione di Hillman che si collega al suo singolare tentativo di «rovesciare» l'interpretazione dei sogni. Hillman fa coincidere l'ombra con l'anima stessa. L'ombra non sarebbe dunque un riflesso rimosso o perverso dell'io consapevole bensì, se si inverte il rapporto, essa diverrebbe *la sostanza* dell'anima.

«Poiché i movimenti del corpo e la sua ombra sono simultanei e inseparabili, sono cioè co-relativi, chi può dire quale viene prima, l'atto o l'ombra? Come proiettiamo la causa della colpa su portatori superiori, più solidi (i nostri genitori e la società), così proiettiamo la causa della formazione della nostra ombra sull'io eroico che è più solido. Ma tutto ciò forse funziona anche in senso inverso. Io e la mia ombra siamo nati insieme e insieme agiamo. Ed è ugualmente valido trasformare il consueto modo di pensare "io faccio ombra", nell'affermazione "la mia ombra fa me".»[1]

Questa premessa permette a Hillman di concepire l'ombra in una prospettiva del tutto diversa: invece di attribuirle l'espiazione delle azioni compiute nel mondo diurno (si crede che l'anima paghi nell'aldilà i peccati commessi in vita), egli ipotizza che le azioni compiute nel mondo diurno siano espiazioni per ombre che non abbiamo visto.

Ne consegue che anche le immagini oniriche in cui appaiono i morti assumono un diverso significato. Suscitando sovente intensi stati emotivi, queste immagini contengono dei messaggi che l'io consapevole stenta, e nello stesso tempo desidera, comprendere. Tutto ciò che si collega ai trapassati – sogni, ricordi, rimozioni – sollecita il pensiero della morte, quella pulsione di morte presente in ognuno di noi, oscuramente sentita e temuta. E se per i credenti la morte può assumere il significato di trapasso a miglior vita, l'attuale tendenza a nasconderla, cancellarla, a sbarazzarsi della sua presenza, che sta dentro di noi, è sintomo di un timore ancestrale e archetipico che la nostra civiltà si sforza di rimuovere.

L'accogliere, dunque, i messaggi onirici, e in particolare quelli che contengono «messaggi dei defunti», ponendosi, come propone Hillman, dalla parte dell'*ombra*, guardando al mondo infero come a un regno «puramente psichico» («gli inferi sono uno stile mitologico per descrivere il cosmo psicologico»), potrebbe costituire uno scarico del senso di colpa.

Del resto, prima di Hillman, già Jung aveva attribuito all'ombra un significato più vasto: «La figura dell'ombra impersona tutto ciò che il soggetto rifiuta di riconoscere e tuttavia continuamente – in modo diretto o indiretto – gli si impone [...]. L'ombra è [...] quella personalità celata, rimossa, per lo più inferiore e colpevole, che con le sue estreme propaggini rimonta al regno dei

---

[1] J. Hillman, *Il sogno e il mondo infero*, Comunità, Milano 1984, p. 50.

nostri antenati animaleschi e così abbraccia l'intero aspetto storico dell'inconscio... Se fino a ora si è pensato che l'ombra umana fosse la sorgente di ogni male, a un'indagine più accurata, si può scorgere che l'uomo inconscio, cioè l'ombra, non consiste solo di tendenze moralmente riprovevoli, ma mostra anche un certo numero di buone qualità, cioè istinti normali, reazioni opportune, percezioni fedeli alla realtà, impulsi creativi e così via».[2]

Questa definizione ci introduce all'*altro aspetto dell'ombra*, su cui ci siamo già soffermati ma che vorremmo brevemente riprendere e cioè il suo rappresentare il *doppio* dell'io che sogna.

Durante il sogno non possiamo influire sulle nostre immagini oniriche, non ne siamo responsabili, ma sappiamo allo stesso tempo che provengono da noi. Tra il nostro io e quello del sogno si instaura dunque un rapporto *ambiguo*. Un rapporto che siamo portati a trascurare perché ci sembra «naturale», mentre i suoi meccanismi sono complessi: «Il dormente subisce il sogno come se fosse una specie di dettato in cui tre persone – quella che detta (forse senza sapere che detta o che cosa detta), la persona che trascrive docilmente le parole dispotiche che percepisce, e quella infine che legge meravigliandosi di un testo che non conosce e che le sembra tuttavia di ricordare – si confondono in una sola: lui stesso. Durante il sogno siamo attori o spettatori per delega. Ci sostituisce una effigie fraterna, un procuratore senza istruzioni, delle azioni del quale dobbiamo però rispondere, un po' allo stesso modo in cui un romanziere è responsabile dei personaggi che ha messo in circolazione, i cui gesti e parole non potrebbero tuttavia essergli imputati».[3]

Ecco allora che il nostro *doppio* onirico può assumere – e nelle civiltà cosiddette primitive tuttora assume – un'autonomia propria. Questo alter ego, anche se non vive una vita diversa da quella dell'io della veglia come credono, per esempio, i Dogon, ci trasmette dei messaggi che non sempre, anzi raramente, siamo disposti ad accettare.

Le difficoltà che insorgono quando si entra in contatto con la propria ombra erano del resto note molti secoli prima che la psicologia del profondo se ne occupasse.

Ne troviamo una testimonianza nella XVIII Sura del Corano a

---

[2] C.G. Jung, *Ricordi, sogni, riflessioni*, Rizzoli, Milano 1978, pp. 475-76.
[3] R. Caillois, *La forza del sogno*, Guanda, Parma 1963, pp. XXXV-XXXVI.

proposito dell'incontro nel deserto fra Mosè e Kherz («il maestro dei maestri»), quando Kherz sottopone Mosè a delle «prove». Per prima cosa Kherz distrugge una barca di poveri pescatori, poi uccide un giovane ragazzo e infine restaura le mura di una città di infedeli. All'indignazione di Mosè, Kherz risponde spiegandogli i moventi dei suoi atti: distruggendo la barca egli ha in realtà salvato i pescatori perché, se fossero usciti in mare, sarebbero stati assaliti e uccisi dai pirati; il giovane ragazzo stava andando a commettere un delitto, la morte ha preservato dall'infamia i suoi pii genitori; il restauro delle mura è valso a salvare dalla rovina gli abitanti della città che avevano già subito terribili calamità.

Mosè si rende conto «troppo tardi» (dopo la spiegazione) che le azioni di Kherz sembravano malvagie mentre in realtà non lo erano.

L'apologo sta a indicare che non è facile intendere ciò che l'ombra, rappresentata nel sogno di Mosè da Kherz, suggerisce.

Ancor più significativa la presentazione del doppio onirico in numerosi passi della letteratura indù. Qui l'accento cade sulla credenza che, attraverso la meditazione, si possa dare consistenza alle immagini del sogno, purché si riesca a sostenerle con sufficiente intensità: Tulsidas, rinchiuso in una torre da un despota, si mette a meditare e sognare, a sognare e meditare finché viene liberato da Hanuman e da un esercito di scimmie materializzatisi dal suo sogno.

Non sono tuttavia soltanto le civiltà orientali, che diversamente dalla nostra considerano il sogno la fucina di ogni possibilità (secondo la filosofia vedanta la «vera» conoscenza si raggiunge in uno stato *diverso* da quello della veglia), ad aver dato corpo alle ombre del sogno e, in particolare, a quella che è il doppio dell'io sognante.

Anche nella letteratura occidentale sono numerosi gli autori che si sono avventurati in questo universo immaginario. Un esempio emblematico ne è il seguente racconto, *Rovine circolari*, di Borges, poeta che più di ogni altro ha cantato il contrappunto tra realtà e immaginazione.

«Nessuno lo vide sbarcare nella notte unanime, nessuno vide la canoa di bambù incagliarsi nel fango sacro; ma pochi giorni dopo, nessuno ignorava che l'uomo taciturno veniva dal Sud e che la sua patria era uno degli infiniti villaggi che sono a monte del fiume, nel fianco violento della montagna, dove l'idioma zend non è contaminato dal greco, e dove la lebbra è infrequente. L'uomo grigio baciò il fango, montò sulla riva senza scostare (probabilmente senza sentire) i rovi che gli laceravano le carni, e si trasse melmoso e insanguinato fino al recinto circolare che corona una tigre o cavallo di pietra, che fu una volta del colore del fuoco ed è ora di quello della cenere. Questa rotonda è ciò che resta d'un tempio che antichi incendi divorarono, che profanò la vegetazione delle paludi, e il cui dio non riceve più onori dagli uomini. Lo straniero si stese ai piedi della statua. Si svegliò a giorno fatto. Constatò senza stupore che le ferite s'erano cicatrizzate; chiuse gli occhi pallidi e dormì, non per stanchezza della carne ma per determinazione della volontà. Sapeva che questo tempio era il luogo che conveniva al suo invincibile proposito; sapeva che gli alberi incessanti non erano riusciti a soffocare, più a valle, le rovine d'un altro tempio propizio, anch'esso di dèi incendiati e morti; sapeva che il suo obbligo immediato era il sonno. Verso la mezzanotte lo svegliò il grido inconsolabile d'un uccello. Orme di piedi nudi, alcune frutta e un bacile l'informarono che la gente del luogo aveva spiato con rispetto il suo sonno e sollecitava la sua protezione, o temeva la sua magia. Sentì il freddo della paura e cercò nella muraglia dilapidata una nicchia sepolcrale, si coprì con foglie sconosciute.

Il proposito che lo guidava non era impossibile, anche se soprannaturale. Voleva sognare un uomo: voleva sognarlo con minuziosa interezza e imporlo alla realtà. Questo progetto magico aveva esaurito l'intero spazio della sua anima; se qualcuno gli avesse chiesto il suo nome, o un tratto qualunque della sua vita anteriore, non avrebbe saputo rispondere. Gli conveniva il tempio disabitato e rotto, perché era un minimo di mondo visibile; anche gli conveniva la vicinanza dei contadini, perché s'incaricavano di sovvenire ai suoi bisogni frugali. Il riso e le frutta del loro tributo erano pascolo sufficiente al suo corpo, consacrato all'unico compito di dormire e di sognare.

Al principio i sogni furono caotici; poco dopo, di natura dialettica. Lo straniero si sognava nel centro d'un anfiteatro circolare che era in qualche modo il tempio incendiato; nubi di alunni taciturni ne appesantivano i gradini; i volti degli ultimi si perdevano a molti secoli di distanza e a un'altezza stellare, ma erano del tutto precisi. L'uomo dettava lezioni d'anatomia, di cosmografia, di magia: quei volti ascoltavano con ansietà e procuravano di rispondere con senno, come se indovinassero l'importanza di quell'esame, che avrebbe riscattato uno di loro dalla condizione di vana apparenza, e l'avrebbe interpolato nel mondo reale. Nel sogno, o più tardi, da sveglio, l'uomo considerava le risposte dei suoi fantasmi, non si lasciava ingannare dagli impostori, indovinava in certe perplessità un'intelligenza crescente. Cercava un'anima che meritasse di partecipare all'universo.

Dopo nove o dieci notti comprese che non poteva sperare in quegli alunni che accettavano passivamente la sua dottrina, ma sì in quelli che arrischiavano, a volte, una contraddizione ragionevole. I primi, sebbene degni di amore e di buon affetto, non potevano aspirare alla condizione di individuo; gli altri preesistevano un poco di più. Un pomeriggio (ormai anche i pomeriggi erano tributari del sonno, ormai non vegliava che un paio d'ore al mattino) congedò per sempre il vasto collegio illusorio e restò con un solo alunno. Era un ragazzo taciturno, melanconico, discolo qualche volta, dai tratti affilati che ripetevano quelli del suo sognatore. La brusca eliminazione dei suoi condiscepoli non lo sconcertò troppo a lungo; dopo poche lezioni, i suoi progressi già meravigliavano il maestro. Ma ecco, sopravvenne la catastrofe. Un giorno, l'uomo emerse dal sonno come da un deserto viscoso, guardò la luce vana d'un tramonto che prese per un'aurora, comprese di non aver sognato. Tutta quella notte e tutto il giorno seguente la lucidità intollerabile dell'insonnia s'abbatté su di lui. Volle esplorare la selva, estenuarsi; ma poté appena, tra la cicuta dormire pochi frammenti di sonno debole, fugacemente traversati da visioni di tipo rudimentale: inservibili. Volle convocare il collegio, ma aveva appena articolato poche parole d'esortazione che quello si deformò, si cancellò. Nella veglia quasi perpetua, lagrime di rabbia bruciavano i suoi vecchi occhi.

Comprese che l'impegno di modellare la materia incoerente e vertiginosa di cui si compongono i sogni è il più arduo che possa assumere un uomo, anche se penetri tutti gli enigmi dell'ordine superiore e dell'inferiore: molto più arduo che tessere una corda di sabbia o monetare il vento senza volto. Comprese che un insuccesso iniziale era inevitabile. Giurò di dimenticare l'enorme allucinazione che l'aveva sviato al principio, e cercò un altro metodo di lavoro. Prima di applicarlo, dedicò un mese al recupero delle forze che aveva sprecato nel delirio. Non premeditò più di sognare, e quasi immediatamente gli riuscì di dormire per un tratto ragionevole del giorno. Le rare volte che sognò durante questo periodo, non fece attenzione ai suoi sogni. Per riprendere l'impresa, aspettò che il disco della luna fosse perfetto. Allora, di sera, si purificò nelle acque del fiume, adorò gli dèi planetari, pronunciò le sillabe lecite d'un nome poderoso e dormì. Quasi subito, sognò un cuore che palpitava.

Lo sognò attivo, caldo, segreto, della grandezza d'un pugno serrato, color granata nella penombra d'un corpo umano ancora senza volto né sesso; con minuzioso amore lo sognò, durante quattordici lucide notti. Ogni notte lo percepiva con maggiore evidenza. Non lo toccava: si limitava ad esserne testimone, a osservarlo, talvolta a correggerlo con lo sguardo. Lo percepiva, lo viveva, da molte distanze e sotto molti angoli. La quattordicesima notte sfiorò con l'indice l'arteria polmonare e poi tutto il cuore, di fuori e di dentro. L'esame lo soddisfece. Deliberatamente non sognò durante tutta la notte; poi riprese il cuore, invocò il nome di un pianeta e passò alla visione d'un altro degli organi principali. In meno d'un anno giunse allo scheletro, alle palpebre. La capigliatura innumerevole fu forse il compito più difficile. Sognò un uomo intero, un giovane, che però non si levava, né parlava, né poteva aprire gli occhi. Per notti e notti continuò a sognarlo addormentato.

Nelle cosmogonie gnostiche, i demiurghi impastano un rosso Adamo che non riesce ad alzarsi in piedi; così inabile, rozzo ed elementare come quest'Adamo di polvere, era l'Adamo di sogno che le notti del mago avevano fabbricato. Una sera, l'uomo fu quasi per distruggere tutta l'opera, ma si pentì. (Più gli sarebbe valso distruggerla.) Fatto ogni voto ai numi della terra e del fiume, si gettò ai piedi dell'effigie che era forse una tigre o forse un cavallo, e implorò il suo sconosciuto soccorso. Sul crepuscolo dello stesso giorno, sognò questa statua. La sognò viva, tremula: non era un atroce bastardo di cavallo e di tigre, ma queste due veementi creature ad un tempo, e anche un toro, una rosa, una tempesta. Questo molteplice iddio gli rivelò che il suo nome era Fuoco, che in quel tempio circolare (e in altri uguali) gli erano stati offerti i sacrifici e reso il culto, e che magicamente avrebbe animato il fantasma sognato, in modo che tutte le creature, eccetto il Fuoco stesso e il sognatore, l'avrebbero creduto un uomo di carne e di ossa. Gli ordinò di inviarlo, una volta istruitolo nei riti, nell'altro tempio in rovina le cui torri sussistevano più a valle, affinché una voce tornasse a glorificare il fuoco in quell'edificio deserto. Nel sonno dell'uomo che lo sognava, il sognato si svegliò. Il mago eseguì gli ordini. Dedicò qualche tempo (e furono finalmente due anni) a scoprirgli gli arcani dell'universo e del culto del fuoco. Nell'intimo, gli doleva di separarsi da lui. Col pretesto della necessità pedagogica, allungava ogni giorno le ore dedicate al sonno. Rifece anche l'omero destro, forse mal riuscito. A volte, l'inquietava un'impressione che tutto quello fosse già avvenuto... In complesso, i suoi giorni erano felici; chiudendo gli occhi pensava: "Ora starò con mio figlio". O, più di rado: "Il figlio che ho generato m'aspetta, e non esisterà se non vado".

Gradualmente, lo venne avvezzando alla realtà. Una volta gli comandò di imbandierare una cima lontana. Il giorno dopo, sul monte, fiammeggiava la bandiera. Tentò altri esperimenti di questo genere, ogni volta più audaci. Comprese con una certa amarezza che suo figlio era pronto per nascere. Quella stessa notte, per la prima volta, lo baciò, e lo inviò all'altro tempio, le cui vestigia biancheggiavano a valle, a molte leghe di selva inestricabile e di acquitrini. Prima (perché non sapesse mai che era un fantasma, perché si credesse un uomo come gli altri) gl'infuse l'oblivio totale dei suoi anni di apprendistato.

La sua vittoria e la sua pace non furono senza melanconia. All'alba e al tramonto si prosternava dinanzi alla figura di pietra, pensando forse che il suo figlio irreale stesse eseguendo riti identici, in altre rovine circolari, più a valle; la notte non sognava, o sognava come gli altri uomini. Percepiva un poco impalliditi i suoni e le forme dell'universo: il figlio assente si nutriva di queste diminuzioni della sua anima. Lo scopo della sua vita era raggiunto; continuava a vivere in una specie d'estasi. Dopo un certo tempo che alcuni narratori della sua storia preferiscono di computare in anni, altri in lustri, lo svegliarono a mezzanotte due rematori; non ne vide i volti, ma gli parlarono di un uomo magico, in un tempio del Nord, capace di camminare nel fuoco senza bruciarsi. Il mago ricordò bruscamente le parole del dio. Ricordò che di tutte le creature che compongono l'orbe, il fuoco era l'unica a sapere che suo figlio era un fantasma. Questo ricordo, tranquillante al principio, finì per tormentarlo. Temette che suo figlio meditasse su questo strano privilegio e scoprisse in qualche modo la sua condizione di mero simulacro. Non essere un uomo, essere la proiezione del sogno di un altr'uomo: che umiliazione incomparabile, che vertigine! A ogni padre interessano i figli che ha procreato (che ha permesso) in una mera confusione o felicità; è naturale che il mago temesse per l'avvenire di quel figlio, pensato viscere per viscere e lineamento per lineamento, in mille e una notte segrete.

Il termine del suo rimuginare fu brusco, ma lo precedettero alcuni segni. Primo (dopo una lunga siccità) una remota nube sopra un colle, leggera come un uccello; poi verso sud, un cielo rosa come la gengiva del leopardo; poi le fumate, che arrugginirono il metallo delle notti; infine la fuga impazzita delle bestie. Poiché si ripeté ciò che era già accaduto nei secoli. Le rovine del santuario del dio del fuoco furono distrutte dal fuoco. In un'alba senza uccelli il mago vide avventarsi contro le mura l'incendio concentrico. Pensò, un istante, di rifugiarsi nell'acqua; ma comprese che la morte veniva a coronare la sua vecchiezza e ad assolverlo dalle sue fatiche. Andò incontro ai gironi di fuoco: che non morsero la sua carne, che lo accarezzarono e inondarono senza calore e senza combustione. Con sollievo, con umiliazione, con terrore, comprese che era anche lui una parvenza, che un altro stava sognandolo.»[4]

In questo racconto non è il «sogno» a essere protagonista bensì il *doppio dell'io sognante*. Borges narra infatti di un personaggio che con la potenza del sogno ne crea un altro, ma alla fine quando il primo si trova in mezzo alle fiamme che non lo bruciano, egli comprende d'essere a sua volta una creatura fittizia che qualcun altro sta sognando. L'immagine onirica si perpetua all'infinito, diventando il suggerimento a considerare il tempo reale della veglia con gli occhi di quello atemporale del sogno.

Come non pensare alla balenante intuizione di quei teologi che, avventuratisi «al fondo della vertiginosa china metafisica», hanno paragonato i rapporti tra Dio e il mondo a quelli tra uno Spirito Onnipotente e il suo Sogno.

Viene anche in mente l'avventura esistenziale e poetica di Rimbaud che vide nella poesia il «vero» mezzo della conoscenza. Per Rimbaud il poeta non è – «come l'immaginano vecchi imbecilli che hanno circoscritto l'individuo alla conoscenza dell'io» – l'autore della sua opera. È colui che, ridotte al silenzio la ragione e la coscienza, sa «apprendere la propria anima [...] scrutare l'in-

---

[4] J.L. Borges, «Le rovine circolari», in *Finzioni*, trad. it. di Franco Lucentini, Einaudi, Torino 1967, pp. 47-53.

visibile e udire l'inaudito». Perché ciò sia possibile è necessario immergersi e prolungare gli stati in cui l'io, cessando di percepire se stesso, diventa il luogo di un *altro*. Come a dire non distinguere più tra l'ombra (il sogno) e la vita.

Raccogliendo l'eredità di Rimbaud, i surrealisti trasformarono questa identificazione in metodo: «Io credo alla futura fusione tra sogno e realtà, due stati che sembrano ma non sono antitetici, credo in una specie di realtà assoluta, di *surrealtà*, se così può dirsi. Io vado a conquistarla, *sicuro che non la troverò*, ma troppo incurante della mia morte per non apprezzare le gioie di un tale possesso». Così scriveva Breton nel *Manifesto* del '24, e Aragon invitava a usare tutti i possibili mezzi – automatismo della scrittura, uso delle droghe, sollecitazione artificiale dei sogni, allucinazioni dovute alla stanchezza – per avvicinarsi all'ombra, per raggiungere le sue ignorate profondità.

«*Fermes les jeux / Tout est comblé*» è il sigillo poetico che Éluard pose a compimento di quest'aspirazione antichissima e ricorrente.

Il simbolismo del corpo

Che lo si consideri l'involucro dell'anima oppure la forma che ci identifica e distingue, il corpo ci accompagna dalla nascita alla morte. È ciò che abbiamo in comune con tutti i nostri simili e allo stesso tempo ogni corpo, come ogni persona, è irripetibile. È anche la parte di noi di cui abbiamo la più immediata percezione e siamo perciò istintivamente portati a usarlo nell'insieme e nelle sue parti come metro di misura, come paragone degli oggetti e delle azioni esterne a noi stessi. Questa tendenza generale e innata è un modo per inserire il mondo che sta fuori di noi – un mondo originariamente alieno – in uno, quello appunto del corpo e delle sue sensazioni, che ci è primordialmente e forzatamente familiare.

Il corpo e le sue parti ci provvedono dunque di innumerevoli metafore e altrettanti simboli, basti pensare alla facilità con cui attribuiamo braccia, gambe, occhi, bocche a tutto ciò che è non-umano. Nel sogno, dove l'immaginazione è più libera dalle convenzioni del linguaggio, e dove la percezione del nostro destino biologico sembra farsi più esplicita (ricordiamo l'antico uso terapeutico dell'*incubazione*) questa facoltà si amplifica.

Il corpo nel suo insieme è tuttavia raramente il soggetto della trasposizione simbolica, lo sono invece alcune sue parti, che assumono a seconda dei casi significati particolari. Vediamone qualcuna.

La testa

Posta in cima al corpo, di forma sferica, contenente il cervello, la testa è stata collegata al sole. Platone la paragonò a un microcosmo, Artemidoro ne fece il simbolo del padre, Freud uno fallico. Nelle mitologie e nelle leggende troviamo sovente divinità e creature policefale, dove ciascuna testa rappresenta particolari mani-

festazioni dell'essere: le tre teste di Ecate, a indicare i trivi; le tre
(ma anche le cinquanta o le cento) di Cerbero, guardiano dell'A-
de, a immagine dei molteplici aspetti dell'universo infero; le due
di Giano, una rivolta in avanti verso il futuro l'altra all'indietro a
guardare il passato.

Nei sogni la testa è il simbolo del principio attivo, del fare, del-
l'unità e per analogia del numero uno. Se in sogno si vede la propria, quest'immagine può suggerire il desiderio o, al contrario, la
resistenza a compiere delle scelte. Se appare staccata dal corpo
può indicare una sottovalutazione dell'io mentale, oppure l'aspirazione a mutamenti radicali.

Gli occhi

Organo della percezione visuale, l'occhio è considerato quasi
universalmente simbolo della conoscenza. Nell'antico Egitto era
un simbolo sacro, raffigurato in numerose opere d'arte, sovente a
ornare i sarcofaghi per permettere ai defunti di seguire, nella loro
inevitabile immobilità, lo «spettacolo» del mondo.

Essendo la sua funzione duplice (riceve le immagini ed emette
lo sguardo) l'occhio designa la facoltà di veggenza e quella della
conoscenza sapienzale.

Nel *Bhagavadgîtâ* e nelle *Upanishad* gli occhi sono identificati
con il sole e la luna; nel taoismo l'occhio destro (il sole) corrisponde all'attività e al futuro, il sinistro (la luna) alla passività
e al passato. Dall'unione di queste due simbologie nasce la concezione del *terzo occhio*, occhio frontale di Çiva, che, rappresentando la simultaneità, distrugge la manifestazione e riduce
ogni cosa in cenere. Indica anche la conoscenza del Supremo e
del Divino e come tale lo ritroviamo in alcune dottrine esoteriche
occidentali. Nel cristianesimo e nella massoneria è rappresentato
senza palpebre e, con simile significato, iscritto dentro a un triangolo.

Jung ha collegato l'occhio alle mutazioni alchemiche, mentre
per i freudiani esso rappresenta l'ovaio, dunque la fecondità: la pu-
pilla, che significa etimologicamente «bambina piccola», sarebbe
il feto nel grembo materno (nell'occhio altrui la propria immagine si specchia rimpicciolita).

Il significato fondamentale dell'occhio resta tuttavia quello del
vedere. Di modo che quando sogniamo d'aver male agli occhi o

di perdere la vista (sogni abbastanza comuni) il richiamo cade su possibili errori di valutazione compiuti dall'io vigile. Sognare di esser ciechi – come già diceva Artemidoro – può essere di buon auspicio per chi è in prigione (sia se si trova effettivamente dietro le sbarre sia se sta vivendo una situazione psichicamente costrittiva), perché la cecità impedisce di vedere le brutture del mondo. E poiché ai ciechi si tende a prestare aiuto, il sogno potrebbe annunciare una modificazione o un miglioramento della sofferenza patita nella vita vigile.

Sognare di avere una vista particolarmente acuta può essere un segno favorevole per chi si trova in situazioni che richiedono una scelta impegnativa (in particolare per quanto riguarda gli investimenti e/o questioni di denaro): si tratterebbe di una «raccomandazione» dell'inconscio a superare dubbi e indecisioni.

Quanto agli *sguardi* che notiamo e ci colpiscono nel sogno, essi possono indicare il timore di essere giudicati e, a seconda della figura onirica da cui provengono, illuminarci sui moventi di palesi o inconsci sensi di colpa.

La bocca

La simbologia della bocca si collega alle sue funzioni: il nutrirsi, il respirare e il parlare. Nell'antico Egitto si praticava ai morti «l'apertura della bocca», di modo che essi fossero in grado di dire la verità davanti al tribunale degli dèi e potessero ricevere il cibo divino.

L'iconografia di tutti i tempi nel raffigurarla chiusa o aperta vi attribuiva un significato analogico: in alcuni riti il sigillare simbolicamente la bocca degli iniziandi stava a significare l'impegno di non rivelare le verità apprese; alle streghe la bocca veniva a volte effettivamente cucita per evitare che prima d'esser bruciate accusassero i loro giudici e torturatori.

Simbolo della verità e della menzogna che la parola esprime, è stata collegata da Freud al *principio del piacere*, rappresentandone la fase orale.

Nel sogno la bocca a sé stante appare raramente, la si vede piuttosto nelle sue funzioni: mangiare ed esser mangiati; esser colpiti dai suoi atteggiamenti di gioia o dolore; oppure può apparire nell'atto di baciare, in questo caso con collegamenti esplicitamente erotici, che andrebbero interpretati nel più ampio contesto del sogno.

I denti

Nella simbologia onirica il riferimento ai denti è frequente. Si sogna di perderli, si «vedono» cadere, si «sente» che dolgono, che ci vengono strappati, raramente si immagina che ne crescano di nuovi. I denti, analogicamente alla loro funzione, rappresentano il desiderio di possedere, introiettare, triturare, distruggere. Generalmente collegati alla forza vitale nel suo senso più concreto, all'aggressività, alla virilità (Freud), la loro perdita immaginaria nel sogno andrebbe tuttavia considerata anche in senso inverso: l'aspirazione a superare la violenza e gli eccessi di queste pulsioni, dunque come inconscio suggerimento di maturazione.

I capelli

In numerosi riti e formule magiche i capelli sono un ingrediente ritenuto indispensabile. Apuleio nell'*Asino d'oro*, descrivendo le pratiche stregoniche di Panfila, specifica come costei si provvedesse dei capelli o dei peli delle persone che voleva evocare, sedurre o perseguitare, per rendere effettivi i suoi sortilegi. Il potere attribuito alla capigliatura deriva da un'estensione analogica: essa è sempre stata considerata simbolo di forza vitale. Ne è un esempio il racconto biblico in cui Sansone perde le forze, e con esse la sua libertà, quando Dalila gli taglia a tradimento nel sonno la chioma.

La credenza che i capelli mantengano un rapporto con la persona cui sono appartenuti è altrettanto antica e permane nel costume di conservare la prima ciocca tagliata ai bambini. Taglio e acconciatura sono stati collegati a seconda delle epoche e delle civiltà alla casta, alla condizione sociale e religiosa: gli eremiti si lasciano crescere le chiome mentre nella religione cristiana la tonsura era segno di penitenza e si praticava al momento di prendere i voti. Il concetto di castigo si ritrova anche nel mondo laico: alla fine della seconda guerra mondiale, per punire chi – specie le donne – aveva collaborato con il nemico.

Al perdere i capelli in sogno è stato attribuito un significato di depauperazione, come se il sogno annunciasse un calo di vitalità, oppure un inconscio timore di esser defraudati di qualcosa cui si tiene. Vedersi con dei capelli di un colore diverso dal proprio sarebbe invece un segnale di insoddisfazione.

Le mani

Il simbolismo delle mani è uno dei più vasti: indica l'attività (metter mano a un'opera); il possesso (tener in mano, cadere in mano); la giustizia (la mano di Dio o dello Stato); il potere (nelle cerimonie feudali il vassallo rendeva atto di sottomissione al suo sovrano ponendo le proprie mani in quelle di quest'ultimo); il trasferimento di potestà (chieder la mano della sposa) e quello dell'energia (imporre le mani); il saluto (agitar le mani); l'aiuto (le mani tese). E ancora: si benedice con la mano destra, si maledice con la sinistra; ci si lava le mani per rifiutare una responsabilità (Ponzio Pilato nel giudicare Gesù) oppure per purificarsi (nelle cerimonie religiose e nei riti magici di tutti i tempi).

Le mani congiunte significano preghiera, atteggiate a coppa amore, con le palme aperte e rivolte verso l'alto ringraziamento oppure viatico, puntate orizzontalmente con l'indice teso accusa.

Nelle immagini oniriche le mani compaiono come parti delle persone cui appartengono; a volte compiono, tuttavia, gesti contrastanti con gli atteggiamenti delle persone stesse e, in questi casi, il contrasto può rivelare la contraddizione tra i sentimenti provati dall'io consapevole e quelli dell'inconscio. Una mano di cui, per esempio, nella vita vigile conosciamo le carezze, se in sogno la vediamo schiaffeggiarci non va riferita a un'intenzione altrui, bensì alla nostra percezione inconscia del rapporto con la persona evocata in sogno.

Mani ignote che ci blandiscono o al contrario ci colpiscono, che si posano lievi o si stringono feroci, rappresentano simbolicamente il modo in cui, in quel periodo o in quel momento, viviamo il contatto con il prossimo.

Il simbolismo della casa

La casa è una delle più frequenti immagini che appaiono nei sogni. È stata fatta corrispondere, fin dall'antichità, al corpo del sognatore e alla sua mente. L'analogia sembra esplicita: le case hanno facciate e interni, stanze, corridoi, scale, piani, porte e finestre; possono essere grandi o piccole, fastose o misere, luminose o tetre, aprirsi all'esterno o chiudersi a esso. Sognare case, i loro ambienti, l'arredamento, significa dunque ricevere messaggi su se stessi.

Ne è un esempio il sogno fatto da Jung nel 1909, poco tempo prima della rottura con Freud, che gli suggerì un'intuizione fondamentale. Jung sognò di trovarsi a «casa sua», apparentemente al primo piano, in un comodo e piacevole salotto arredato in stile settecentesco. Si stupì tuttavia di non aver mai visto prima quella stanza e si avviò a esplorare il resto della casa. Scese così al piano sottostante, e poi in cantina dalla quale, passando per una porta, si trovò in un grande locale a volta che appariva di costruzione molto antica, sotto il quale, scendendo per un'altra scala, si arrivava a una specie di caverna simile a una tomba preistorica dove c'erano due teschi, alcune ossa e cocci di ceramica[1].

Freud, cui Jung raccontò il sogno, lo interpretò come un desiderio rimosso di morte e Jung, per assecondarlo, propose che i teschi fossero quelli di sua moglie e di sua cognata. Egli tuttavia «sapeva» che non era questo il significato del sogno; giustifica infatti la bugia detta al maestro con il timore di perderne definitivamente l'amicizia. Ed ecco l'interpretazione che Jung diede del sogno: «Mi era chiaro che la casa rappresentava una specie di immagine della psiche, cioè della condizione in cui era allora la mia coscienza, con in più le integrazioni inconsce fino allora acquisite. La coscienza era rappresentata dal salotto: aveva un'atmosfera

[1] C.G. Jung, *Ricordi, sogni, riflessioni*, Rizzoli, Milano 1978, pp. 200 ss.

di luogo abitato, nonostante lo stile d'altri tempi. Col pianterreno cominciava l'inconscio vero e proprio. Quanto più scendevo in basso, tanto più diveniva estraneo e oscuro. Nella caverna avevo scoperto i resti di una primitiva civiltà, cioè il mondo dell'uomo primitivo in me stesso, un mondo che solo a stento può essere raggiunto o illuminato dalla coscienza. [...] Il mio sogno pertanto rappresentava una specie di diagramma di struttura della psiche umana, un presupposto di natura affatto *impersonale*. Quest'idea colpiva nel segno, "it clicked" come dicono gli inglesi; e il sogno divenne per me un'immagine guida, che in seguito si sarebbe rafforzata in misura insospettata. Fu la mia prima intuizione dell'esistenza, nella psiche personale, di un a priori collettivo, che dapprima ritenni fosse costituito da tracce di primitivi modi di agire. In seguito, con la più vasta esperienza e sulla base di più ampie conoscenze, ravvisai in quei modi di agire delle forme istintive, cioè degli archetipi»[2]. Il sogno-della-casa ebbe così per Jung il significato di una «illuminazione» che l'inconscio gli trasmetteva attraverso la figurazione onirica.

Diversamente da Jung, Freud aveva visto nella casa il simbolo del corpo della madre del sognante. L'analogia è anche qui esplicita: la funzione della casa è di fornire rifugio e sicurezza, difesa e protezione, la stessa che il ventre materno ha per il feto. Ne consegue che se nel sogno le case appaiono accoglienti e confortevoli se ne può dedurre un armonico rapporto con la figura materna e, al rovescio, i conflitti con la madre sono rappresentati dallo squallore della casa e dei suoi ambienti o dalla sensazione di claustrofobia che il sognante prova durante il sogno.

Degli *ambienti* si è data inoltre un'interpretazione per cui essi corrisponderebbero ai diversi livelli della psiche: la facciata sarebbe la maschera, l'apparenza; il tetto, l'io consapevole; la soffitta, la spiritualità; la cucina, la trasformazione; la cantina, l'inconscio.

Particolare significato è stato attribuito alle *scale* che, collegando un piano all'altro, congiungono simbolicamente le varie parti della personalità. Interessante a questo proposito un pensiero annotato da Julien Green nel suo diario: «In tutti i miei libri, la sensazione di paura e di ogni altra intensa emozione sembra essere inesplicabilmente associata all'idea di scala. Me ne sono accorto

---

[2] C.G. Jung, *Ricordi, sogni, riflessioni*, cit., pp. 202-03.

ieri, ripassando mentalmente i miei romanzi, e mi sono stupito di non averci fatto caso prima d'ora. Quand'ero bambino sognavo sovente di esser rincorso mentre ero su una scala. Mia madre aveva provato la stessa paura nella sua gioventù. Sono convinto che numerosi autori sono spinti a scrivere dall'accumulo di *immemorabili ricordi*. Diventano così i portavoce di migliaia di morti, dei *loro* morti, dando finalmente voce ed espressione a ciò che i loro antenati hanno taciuto per prudenza o per vergogna[3]».

Simbolo d'ascensione o di discesa, la scala rappresenta inoltre la dimensione e la dialettica della verticalità: può portarci verso il cielo o verso gli inferi e, in entrambi i casi, può provocare sensazioni di gioia o timore, d'attrazione o resistenza a seconda dello sforzo o dell'agio con cui la si percorre nel sogno e della meta che l'inconscio ci indica.

I sogni in cui compaiono case, ambienti, scale, sono generalmente percepiti con meno chiarezza di quella che appare nell'interpretazione degli autori sopraccitati (entrambi ne hanno ricavato un'ispirazione illuminante), tuttavia, se si ha la pazienza di decifrarli, ci si accorge che essi contengono indicazioni sorprendenti. Così, per esempio, i sogni in cui compare una *cucina* («stare» in cucina, «fare» cucina, preparare pietanze, ecc.) oltre a indicare una trasformazione, hanno a che vedere con la capacità di «digestione» psichica. La cucina è un simbolo forte: è stata per secoli il centro della casa, il luogo dove sta il focolare, dove si prepara il cibo, e lo si «manipola» (come nel corpo fa l'intestino). Sognare ciò che ha a che vedere con la cucina può rivelarsi un segnale che induce a ripercorrere (rivedere?) il passato, a rendersi conto quanto e se lo si è digerito.

E poiché la cucina è un luogo tipicamente femminile, essa può rappresentare anche il rapporto con la madre, o con le donne della famiglia, o invece le più segrete pulsioni materne della sognante.

Altrettanta importanza ha la stanza da letto, il *letto* in particolare, che in sogno appare sovente molto più grande o più piccolo di quello in cui si suole dormire e rivela inquietudini che spesso sfuggono alla mente vigile.

Il modo in cui ci muoviamo dentro la casa, le modificazioni apportate alle stanze e all'arredamento, rappresentano aspirazioni, dubbi, speranze, in una parola «trasformazioni» latenti che cerca-

---

[3] Julien Green, *Journal I*, Plon, Paris 1951, p. 137.

no di manifestarsi attraverso i messaggi onirici. Quando si sognano traslochi significa sovente che il messaggio è già stato assorbito a livello conscio, mentre cercare la propria casa e non trovarla indica che l'insicurezza del sognante è a livello di guardia. Se infine compaiono stanze vuote il significato tende a essere ambivalente: nella nostra personalità c'è più «spazio» (possibilità, potenzialità) di quanto supponiamo o, all'inverso, essa è carente di quei contenuti (qualità, valori) che andiamo sfoggiando da svegli.

Abbiamo qui una riprova che le analogie sono state usate, fin dai tempi dei tempi, con significati opposti: ogni sogno può esser interpretato *secondo* l'immagine onirica o *rovesciandola*. Ed è questa la difficoltà – e il fascino – della decodificazione dei sogni che, sottraendosi a regole e paradigmi, richiede l'intelligere dell'intuizione.

Il simbolismo del cibo

Il mangiare, come le altre funzioni organiche, ha un significato letterale e uno traslato. Nutrirsi è una necessità biologica che, se non ottemperata, porta alla morte, ma sta allo stesso tempo per altri appetiti, altre esigenze.

Nel sogno, il cibo – il consumarlo, il darlo, il riceverlo, l'esserne privati o l'averne in abbondanza – se talvolta si collega all'effettiva condizione fisiologica corrispondente (gli affamati sognano pasti pantagruelici, gli assetati fonti e sorgenti), altre volte rappresenta la trasposizione di pulsioni simili, parallele o contrarie. Gli appetiti sessuali o di possesso sono facilmente paragonabili al nutrimento, ma anche il bisogno di «cibo celeste» è associabile a una pulsione che ha la stessa radice, pur sviluppandosi in direzione opposta.

Inoltre, poiché le metafore che riguardano il mangiare – o l'esser mangiati – abbondano, se ne sono derivate delle tipologie che distinguono coloro in cui prevale il desiderio di esser nutriti da chi sia portato a nutrire gli altri. Nel primo caso si tratterebbe di persone che, tentando di prolungare l'infanzia, vogliono credere che ci sarà sempre una «madre» a provvederli del cibo necessario e, di conseguenza, rifiutano le responsabilità dell'età adulta. Nei sogni di costoro il cibo rappresenta sovente una contropartita a timori, dubbi, incertezze: più si sentono insicuri più ne sognano.

Nel secondo caso, invece, l'aspirazione oblativa, pur apparendo autentica, nasconde un desiderio di appropriarsi, al limite di sedurre o prevaricare gli altri attraverso l'offerta. Nelle immagini oniriche di queste persone appaiono a volte personaggi che disturbano o impediscono la preparazione del cibo, o che «rovinano» quanto esse hanno fatto. In entrambi i casi i segnali affioranti nei sogni tendono a esser correttivi o, per dirla con Jung, compensatori delle situazioni psichiche della veglia.

Ci sono, poi, alcuni alimenti che presentano significati simbolici molto potenti. Così, per esempio, il *pane* che si collega alla simbologia sacra (sotto forma di ostia rappresenta il corpo di Cristo; nella preghiera – «dacci oggi il nostro pane quotidiano» – l'aiuto di Dio al credente). Sognare il pane, specie se lo si dà o lo si riceve, è di buon augurio: esprime pulsioni oblative, svela profonde e spesso nascoste disponibilità solidali.

Il *vino*, associato al sangue, era considerato nelle tradizioni di origine semitica simbolo della conoscenza e dell'iniziazione (nella mitologia greca il sangue di Dioniso era bevanda d'immortalità, nel rito cattolico sta a significare il sacrificio di Gesù).

Il *latte* è stato visto quale simbolo di protezione e trasmissione (Eracle divenne immortale succhiandolo dal seno di Era; san Bernardo, allattato dalla Vergine, divenne fratello adottivo di Cristo); mentre il *miele* sta a indicare la ricchezza, il compimento, la dolcezza, l'amore («Le tue labbra stillano miele vergine, o sposa, / c'è miele e latte sotto la tua lingua» [*Cantico dei Cantici* 4, 11]); il viaggio di nozze si chiama «luna di miele».

Da questi pochi cenni possiamo farci un'idea di come i cibi, anche i più quotidiani, evochino simbologie profondamente significative.

Nei sogni assumono il valore estensivo dell'analogia, che, per quelli citati, rivela tendenzialmente un'aspirazione spirituale. Fa eccezione il vino che, quando il sogno si riferisce ai suoi effetti, può rappresentare un desiderio di fuga da qualcuno o qualcosa che si dovrebbe ma nello stesso tempo non si vuole affrontare. Benché la sensazione di ubriachezza si produca difficilmente nel sogno (a meno che ci si sia addormentati in questa condizione), se si presentasse sarebbe da considerarsi un segnale indicativo di latenti patologie psicotiche.

Quasi sempre positivo è invece il messaggio che proviene dal sognare *uova*. In quanto allegoria del mondo (vi rassomiglia nella forma e contiene il principio del divenire) l'uovo indicherebbe la ripresa dell'energia vitale dopo un periodo di stanchezza psichica.

C'è infine un ulteriore aspetto che il cibo assume nel sogno, ed è quello autoingannatorio: le tendenze difensive, o al contrario quelle predatorie raffigurate in forma di atteggiamenti alimentari appaiono nell'immagine onirica rovesciate. Chi sogna sovente di mangiare e si nutre con piacere nel sogno, a meno che non sia effettivamente affamato non è un predatore vincente, ma piuttosto un ti-moroso-perdente. Non diversamente i sogni dei pazienti in analisi presentano a volte i sentimenti contraddittori del *transfert* nei ri-guardi dell'analista sotto forma di atteggiamenti, o meglio, di pro-iezioni, che riguardano il cibo.

Il simbolismo degli indumenti

Benché un proverbio dica «l'abito non fa il monaco», i vestiti sono stati e sono tuttora rappresentativi di comunità, classi sociali, gruppi, professioni, caste militari e sacerdotali. La divisa come la tonaca suscitano un'esplicita suggestione che, tuttavia, si produce anche rispetto ad abiti più frivoli (dai carnevaleschi a quelli «di moda»).

Carlyle diceva che gli indumenti ci hanno dato l'individualità, le distinzioni, le modalità sociali, che però, pur essendo qualificative della nostra specie, rischiano di trasformarci in manichini. Sottolineava così il rischio di sopravvalutare l'abito a sfavore della persona e, implicitamente, evidenziava la specifica caratteristica del vestire: l'*ambiguità* del suo ruolo. Destinati a coprire la nudità, gli indumenti possono tuttavia attirare l'attenzione su ciò che celano; e se da una parte rivelano la personalità di chi li indossa, possono anche nasconderla.

I sogni in cui appaiono immagini connesse agli abiti sono frequenti e comuni. Quelli con cui ci si veste riflettono tendenzialmente delle preoccupazioni riguardo alla «maschera», al modo in cui ci si presenta agli altri, all'autenticità o meno del nostro apparire. Quelli di cui ci si spoglia il desiderio di svelarsi, a volte il rammarico o il rimorso di manifestarsi diversi da come si è.

Quando si indossano abiti che non hanno nulla a che vedere con il proprio status, o che siano per convenzione di un sesso diverso, ci possono essere delle proiezioni inconsce nella direzione segnalata dal sogno oppure un'assunzione contraddittoria delle medesime. Nelle fiabe e nel folclore abbondano gli esempi: principesse che in sogno vestono panni miserabili, Cenerentole che indossano manti regali, donne travestite da cavalieri armati, maschi in leggiadre vesti muliebri. La questione è scoprire se si tratta di sogni «compensatori», o di tendenze caratteriali che cercano di affiorare, oppure di rappresentazioni oniriche di complessi di superiorità o al contrario di inferiorità.

Quanto al sognare di essere nudi in mezzo a persone vestite può essere indicativo di un più o meno latente rifiuto delle convenzioni, ma se si prova una sensazione di vergogna il sogno può rivelare il timore d'averle violate, o anche un'autoaccusa di ipocrisia, l'aver voluto cioè apparire migliori di quanto si sente d'essere.

Come per gli alimenti anche per i vestiti ce ne sono alcuni che presentano uno spiccato valore simbolico. Particolare rilievo hanno per esempio il *cappello* e le *scarpe*.

Il *cappello* avrebbe, secondo la tradizione, lo stesso ruolo della corona, sarebbe cioè simbolo del potere e della sovranità, e, a somiglianza dei capelli, capterebbe gli influssi celesti. Per estensione esso rappresenta anche la testa: nel *Golem* di Meyrink il protagonista ha i pensieri e intraprende le azioni della persona di cui porta il cappello. Per Jung, cambiare cappello significa mutare le proprie idee, vedere il mondo con altri occhi, mentre per i freudiani esso è un simbolo fallico. Benché attualmente i cappelli siano in disuso, essi continuano a comparire nei sogni e, nella credenza popolare, sono indice di buona fortuna, credenza che si collega alla consuetudine per cui nel cappello rovesciato gli attori e i cantori girovaghi raccoglievano l'obolo degli spettatori. Se infine in sogno capita di scambiare il proprio cappello con quello di un altro si può derivarne il desiderio di «mettersi al posto» dell'altro, di assumerne il ruolo.

Le *scarpe* venivano anticamente usate quale simbolo dell'aver preso possesso di un terreno e, come testimonia la Bibbia (*Ruth* 4, 7-8), l'acquirente scambiava il proprio sandalo con il venditore a sancire l'affare, poneva poi il piede o la scarpa sul terreno divenuto di sua proprietà. Nell'Islam prima di entrare in una casa di cui si è ospiti si usa togliersi le scarpe per dimostrare che non si rivendica alcun diritto; anche nelle moschee, il cui suolo appartiene ad Allah, si entra scalzi.

Le scarpe sono inoltre simbolo del viaggio (Ermes, protettore dei viaggiatori, portava i calzari) e da ciò deriva probabilmente l'usanza di mettere una scarpa (in seguito sostituita dalla calza) per ricevere i doni della Befana, o di Santa Klaus, in modo da offrire a questi «viaggiatori immaginari» il ricambio delle loro, consumate dal lungo cammino.

C'è infine un terzo significato attribuito alle scarpe: identificarle cioè con la persona che le porta. La favola di Cenerentola ne è un esempio: calzando la scarpetta che aveva perso fuggendo a mezzanotte dal palazzo del principe, Cenerentola si identifica con la bella di cui il principe si era innamorato senza sapere chi fosse.

A tutti questi significati, che possono essere sottesi e inconsciamente presenti quando si sogna di scarpe (questioni di proprietà, attesa di viaggi, problemi di identità), i freudiani ne hanno aggiunto un altro: se si considera il piede un simbolo fallico, la scarpa rappresenta quello vaginale e il sogno potrebbe allora rivelare le modalità dell'incontro sessuale con il partner.

Vorremmo segnalare un ulteriore indumento che ha uno spiccato valore simbolico: la *camicia*. Nella sua qualità di primo indumento indossato, essa rappresenta la protezione morale (avere dei genitori) e quella materiale (che sono in grado di curare e vestire il neonato). Tant'è che il proverbio «nascere con la camicia» allude alla «fortuna» di coloro che vengono al mondo provvisti d'affetti e di beni. Nei sogni la camicia assume a volte il significato di «intimità» (è una «seconda pelle») e di conseguenza rappresenta il desiderio o il rifiuto d'intimità con la persona che la indossa nel sogno.

Il simbolismo degli animali

L'uomo ha sempre avuto rispetto agli animali atteggiamenti contrastanti: li ha temuti e uccisi, catturati e addomesticati, mangiati e usati, amati e torturati; li ha innalzati a simbolo di forze cosmiche e spirituali (se ne hanno degli esempi nella mitologia zoomorfica, nella simbologia zodiacale, nelle raffigurazioni religiose [lo Spirito Santo è rappresentato in forma di colomba]); li ha adorati come dèi (il falcone nell'antico Egitto, il corvo in Cina); vi ha attribuito sentimenti e comportamenti umani (da Esopo a La Fontaine la favolistica didattica e moraleggiante si fonda sull'antropomorfismo di bestie parlanti); li ha presi quale termine di paragone di pulsioni sublimi (il cigno di Baudelaire, la balena bianca di Melville) e di quelle più basse e perverse (il maiale e il caprone ricettacoli del demonio, il gatto aiutante e magistello delle streghe).

Non c'è da stupirsi dunque se il simbolismo animale sia vastissimo e se esso si riproponga nel mondo onirico. Nell'interpretare i sogni di animali si dovrebbe tuttavia prestare particolare attenzione a non sovrapporre significati convenzionali a quelli particolari contenuti nel sogno.

Quando, per esempio, attribuiamo il coraggio al leone, l'astuzia alla volpe, la crudeltà al leopardo, la vigliaccheria al coniglio, la fedeltà al cane e così via, oltre che estendere alle bestie qualità umane, le classifichiamo in modo univoco. Se estendiamo questo modo di procedere ai sogni rischiamo di falsarne il significato: nel sogno gli animali sopraccitati e, ovviamente, tutti gli altri possono infatti assumere significati differenti. La fantasia onirica si comporta in modo non dissimile da quei compilatori di bestiari medievali che elencavano, senza distinguerle, le caratteristiche reali, mitologiche e simboliche delle bestie che descrivevano.

C'è inoltre un ulteriore errore che si tende a commettere nel decodificare questi sogni: considerarli cioè rappresentativi della natura *bestiale* dei nostri istinti, contrapponendo *umanità* ad *anima-*

lità. «La ricchissima profusione di simboli animali nelle religioni e nell'arte di ogni tempo [...] dimostra quanto sia essenziale per l'uomo sussumere nella propria vita il contenuto psichico del simbolo [...]. [Ma] nell'uomo, il suo "essere animale" (che vive in lui e si manifesta nella sua psiche istintiva), può divenire pericoloso se non venga riconosciuto e integrato nella vita globale del soggetto.»[1]

Dovremmo dunque considerare con grande precauzione le immagini oniriche riguardanti gli animali, e così pure le simbologie elencate qui di seguito, necessariamente schematiche, che si riferiscono a quelli che compaiono più frequentemente nei sogni. Poiché gli animali si raggruppano in specie seguiremo questa classificazione, occupandoci tuttavia in primo luogo di alcuni di essi il cui significato archetipo è particolarmente complesso e significativo.

Il serpente

Di forma allungata e cilindrica, coperto di squame, senza zampe né pinne, di andatura strisciante ma capace di ergersi rapido e improvviso, di uccidere la preda iniettando il suo veleno o di stritolarla tra le sue spire e, dopo averla ingerita, cadere in sonni letargici, pigro e agilissimo, imprevedibile ed enigmatico, acquatico e terrestre, abitante di oscure caverne e di assolate pietraie, mimetizzato all'ambiente, mutando ciclicamente la pelle, il serpente, prima di rappresentare gli opposti princìpi del Bene e del Male, della conoscenza e della perdizione, è stato associato all'energia primigenia, alla sua latenza, al suo potenziale.

I caldei usavano la stessa parola per significare serpente e vita, e così gli arabi che, come sottolinea René Guénon, adoperavano la qualifica di serpente come principale attributo della divinità a significare «colui che dà vita, o che è l'origine della vita».

Signore del principio vitale e delle forze della natura, il serpente era dunque una divinità che presiedeva alle cosmogonie arcaiche dove si venerava la Grande Madre, la Madre Terra, per diventare più tardi attributo di Iside, Demetra, Cibele, a indicare la potenza vivificante della procreazione. Persino Atena, nata dal cer-

---

[1] Aniela Jaffé, «Il simbolismo nelle arti figurative», in C.G. Jung, *L'uomo e i suoi simboli*, Casini, Firenze-Roma 1967, pp. 238-39.

vello di Zeus, dea della ragione, era raffigurata con in mano un serpente, mentre nell'iconografia cristiana Maria, simbolo di tutte le madri e madre di Dio incarnato, ne calpesta la testa con il piede.

Come principio vitale lo troviamo nel tantrismo sotto forma di *Kundalini*. Assopito alla base della colonna vertebrale, se risvegliato risale lungo i *chakra* fino a permettere l'apertura del terzo occhio, la contemplazione del divino. Sempre in India, con il nome di *Ananta*, è, assieme all'elefante, al toro, alla tartaruga, al coccodrillo, uno dei pilastri che sorreggono il mondo.

Significato cosmogonico ha l'*Ouroboros*, il serpente che si morde la coda, simbolo della manifestazione e della ciclica rinascita, dell'unione autofecondante (la coda penetra nella bocca), del perpetuo tramutarsi della vita in morte e della morte in vita. In questa raffigurazione indica anche il cerchio, il mandala, la ruota: oltre che «creatore» diventa così principio temporale, prima raffigurazione dello Zodiaco, del ciclico ripetersi delle stagioni.

Associato frequentemente all'albero che indica il principio maschile, attorno al quale si attorciglia, gli sono state attribuite caratteristiche femminili, albero e serpente rappresentando la prefigurazione mitica di Adamo ed Eva. Proprio in questo stringersi all'«albero della vita» è stato considerato simbolo del male e rappresentato più tardi sul bastone di Asclepio a indicare il compito di guarire quel male che è la malattia. Sul caduceo di Ermes i due serpenti che vi si allacciano raffigurano invece la contrapposizione del bene e del male, della salute e dell'infermità, dunque l'equilibrio delle opposte forze.

Che i greci lo considerassero simbolo delle civiltà ctonie e matriarcali è confermato nell'*Iliade*, quando un'aquila, simbolo del patriarcato, che tiene tra gli artigli un serpente ferito, appare agli elleni ed essi interpretano il «segno» simbolo di vittoria.

Il suo mutar pelle fu interpretato già dai babilonesi come metamorfosi, rinascita, indice di eterna giovinezza, dunque di immortalità: nell'epopea di Gilgamesh è un serpente che ruba all'eroe l'erba, dono degli dèi, che l'avrebbe reso immortale. La «rivalità» tra uomo e serpente ha perciò origini lontanissime, e altrettanto remota è la duplicità della «natura» che gli è stata attribuita.

Se il cristianesimo ne ha esaltato l'aspetto negativo e maledetto (il serpente tentatore e satanico convince Eva a mangiare i frutti dell'albero del Bene e del Male, tramutando così il desiderio di conoscenza in orgogliosa sfida, il congiungimento fecondo in lussuria), pure i primi cristiani lo veneravano ancora quale dio della rivelazione, sorgente della saggezza e del sapere. Gesù che *rigenera* l'umanità è stato a volte rappresentato come il serpente crocefisso, mentre san Giovanni nell'*Apocalisse* lo indica quale malefico seduttore dell'intera umanità.

Nella molteplicità dei significati che ha assunto in tutte le civiltà – mitico antenato dell'uomo, espressione di un universo non ancora «manifesto», principio femminile, veicolo della conoscenza, tentatore satanico, tramite tra cielo e terra, portatore di sciagura –, il serpente è un archetipo fondamentale che si ripresenta nei nostri sogni che, tuttavia, proprio per questa sua complessità, fatichiamo a interpretare.

Secondo Jung incarna la psiche inferiore, ciò che in noi è oscuro, incomprensibile, misterioso. Quando appare nei sogni esprimerebbe un'abnorme attività dell'inconscio, un conflitto represso che tenta di palesarsi, di *risalire* alla coscienza. L'interpretazione junghiana sembra tuttavia restrittiva: enfatizza infatti l'aspetto primigenio del simbolo, il suo ergersi dall'«ombra» come avviene in natura quando il rettile sta per sorprendere la preda.

La presenza di serpenti nelle immagini oniriche, indicando le più diverse e contrastanti sollecitazioni, non è, a mio avviso, interpretabile in senso «generale». Poiché può essere sintomo di angoscia o di liberazione, di repressione o di espansione, di castrazione o di vitalità dell'istinto, in particolare di quello sessuale, la sua rappresentazione nel sogno va collegata all'idea che il sognante ha, o è stato indotto a farsi, del serpente archetipo. Che sarà ovviamente diversa a seconda se egli ne abbia assorbito la versione negativa (la più diffusa nel mondo cristiano) oppure quella ambivalente, o ancora la positiva, di fatto sopravvissuta soltanto nelle civiltà cosiddette «primitive». L'archetipo si dimostra insomma così multiforme, variabile e collegato alle condizioni ambientali da modificare la soggettiva versione onirica.

La tartaruga

Meno molteplice, ma altrettanto significativa, specie nelle civiltà orientali, la tartaruga è un simbolo cosmogonico, antropocentrico e alchemico. Il suo guscio rotondo come il cielo sopra di noi, e la forma dell'animale, che se lo porta sul dorso, piatta come la terra che si presenta ai nostri occhi, l'hanno fatta paragonare all'universo, che essa a sua volta sorregge con la potente forza della sua massa poggiata solidamente sulle quattro cortissime zampe. In India come in Cina è raffigurata a compiere questo ruolo stabilizzatore e considerata un'incarnazione di Buddha e di Visnù. Secondo Lieu-Tsen, le isole degli immortali smisero di andare alla deriva quando le tartarughe le caricarono sui loro dorsi. Un mito dravidico racconta invece che la Grande Madre, dopo aver dato vita al creato, cadde dal cielo nel mare dove la tartaruga la raccolse sul suo dorso, formando così la prima isola da cui si sviluppò la terraferma.

Collegata all'elemento terrestre ma anche all'acqua primigenia, simbolo di fertilità e longevità, è stata vista quale mediatrice tra cielo e terra e strumento di divinazione.

Secondo una leggenda greca, Ermes confezionò la sua lira con un guscio di tartaruga, trasformazione che molti secoli dopo ne fece un simbolo alchemico. Dopo la sua preparazione diverrebbe infatti un eccellente rimedio contro i veleni di natura saturnina (come il piombo) ed è considerata dagli alchimisti prima materia dell'Opera. In questo senso se ne sono sottolineate in Occidente le caratteristiche di lentezza, pesantezza, prudenza, facendone un simbolo dell'evoluzione naturale, della concretezza, della corporalità.

Dal punto di vista antropocentrico le sono state attribuite qualità sia maschili sia femminili: l'estroflettersi della testa dal guscio, paragonata all'erezione del membro, e il rientrare alla flaccidità dello stesso dopo il coito, ne hanno fatto un simbolo fallico; mentre la concavità del guscio, quando sia staccato dall'animale, è stata vista come un'ampia vagina.

Da queste analogie probabilmente deriva l'interpretazione della tartaruga che, quando appare nei sogni, indicherebbe latenti pulsioni omosessuali o desideri erotici repressi. Per altro verso significherebbe invece un richiamo alla realtà, a riconsiderare delle decisioni prese con troppa fretta e con eccessiva irruenza o infine una esigenza di trasformazione non ancora percepita a livello consapevole.

Il leone

Simbolo solare per antonomasia, il leone, «re degli animali», rappresenta la forza, il coraggio, il potere, la giustizia ma anche l'opposto di queste qualità: l'orgoglio, la superbia, il paternalismo, la tirannia. Corrispondente terrestre dell'aquila, è stato usato per indicare il principio maschile, la lotta, la vittoria, la dignità reale. Come garante del potere è la cavalcatura di numerosi dèi e orna il trono di Salomone e di Buddha, di re e imperatori.

In senso spirituale è il simbolo del Cristo, che nelle Sacre Scritture è chiamato *Leone di Giuda*, e nell'iconografia medievale rappresentato con la testa e la parte anteriore di un leone. Allo stesso modo è l'emblema dell'evangelista Marco e venne usato dalla repubblica di Venezia quale distintivo della sua bandiera e delle sue conquiste.

Nell'antico Egitto due leoni che si davano di spalle, guardando ciascuno in opposta direzione, indicavano la corsa del sole da est a ovest, dunque l'inizio e la fine del giorno, passato e futuro; mentre nelle civiltà orientali, apparentato al drago, era il simbolo della protezione contro gli influssi degli spiriti maligni.

In Occidente come in Oriente è stato usato a rappresentare la *manifestazione*, ciò che è, che si afferma, che è già dato, che si pone *dopo* la creazione. Nell'alchimia corrisponde al principio fisso e allo zolfo, in astrologia al culmine dell'estate e all'elemento Fuoco.

Benché da una statistica fatta da Calvin Hall, psichiatra statunitense, risulti che i leoni apparirebbero raramente nei nostri sogni (Hall adduce come motivazione la frattura delle attuali civiltà con lo «stato di natura»), Jung, riprendendo la tradizione oniromantica, collegò i leoni onirici con le passioni, precisando che possono rappresentare il pericolo di esser *divorati* dalle pulsioni inconsce. A mio vedere, l'archetipo contiene un aspetto più elementare che si presenta nel sogno a indicare il principio di autorità, il rapporto che abbiamo con esso, di timore, ribellione, acquiescenza e, per analogia, il modo con cui viviamo la figura paterna nonché quel suo prolungamento simbolico che è lo Stato, il potere pubblico.

Il ragno

Secondo un mito ellenico, Aracne, giovane fanciulla della Lidia, era tanto esperta nell'arte del ricamo che osò sfidare Atena, chiedendo alla dea della sapienza di poter competere con lei in una gara. Atena ricamò i dodici dèi dell'Olimpo in tutta la loro maestà e ai quattro angoli della tela le punizioni in cui erano incorsi i mortali che si erano permessi di sfidarli. Aracne ricamò invece gli amori degli dèi con i mortali, mettendo in luce le loro debolezze e rivalità. Atena, sentendosi oltraggiata, punì Aracne tramutandola in ragno, in modo che fosse costretta a tessere per l'eternità una tela fragile e inconsistente di cui sarebbe stata prigioniera.

Il mito sta a indicare la fragilità dell'opera umana e per analogia quella della tela del ragno che, pur nelle sue perfette geometrie, evoca l'apparenza e l'illusione.

Accanto a questa simbologia negativa (il ragno ordisce la sua tela al buio, sta immobile al centro per catturare con mossa repentina la preda) ce n'è una positiva: poiché «produce» il materiale con cui opera e per il fatto che il tessere può essere inteso in senso metaforico (le Parche «tessevano» il destino dei mortali) al ragno sono state attribuite nelle più diverse civiltà facoltà divinatrici.

Il filo da cui pende, e che l'insetto continuamente risale, è stato visto sul piano mistico come il cordone ombelicale, il «filo di luna» che collega la creatura al creatore, il mezzo con cui elevarsi verso il divino.

L'apparire del ragno nei sogni si articola dunque su interpretazioni opposte. In senso negativo rappresenta il possesso e l'agguato, la madre che inghiotte, assorbe, soffoca la sua creatura, la donna fatale seduttrice e distruttiva, l'introversione e l'egotismo di chi resta prigioniero di se stesso. In senso positivo indica l'opera creatrice, l'autoformazione, la capacità di ricominciare (il ragno rifà sempre daccapo l'ordito della tela), la trasformazione (la saliva diventa filo) e, come dicevamo poco sopra, lo sforzo della risalita o l'aspirazione verso il trascendente.

Gli uccelli

Il loro volare ne fa dei simboli di relazione tra il cielo e la terra (l'etimologia greca contiene il sinonimo di «messaggeri»). Nelle religioni orientali e nella letteratura stanno per l'anima, a indicare la leggerezza, la liberazione dal «peso» corporeo. Nel mondo ellenico erano considerati *intellectus agens*, la mente superiore che discende nell'umana. La diffusa consuetudine di associarli all'organo sessuale maschile propria del folclore e delle allegorie popolari, ben prima che Freud la riproponesse, poggia probabilmente sulla considerazione che anche nelle questioni di «virilità» non si può trascurare «l'azione della mente».

Abbiamo visto che nell'antico Egitto gli uccelli rappresentavano invece le anime dei defunti. La credenza si collegava al mito della fenice, volatile che, rinascendo dalle sue ceneri, era il simbolo dell'energia e stava perciò in cima a quell'*Albero cosmico* dove gli uccelli erano gerarchicamente collocati sui rami e ai cui piedi si trovava il serpente a raffigurare l'*inizio*, l'origine della vita.

Nella tradizione esoterica li troviamo abbinati ai colori e alle pulsioni fondamentali: il corvo – il nero – era simbolo dell'intelligenza; il pavone – il blu e il verde – dei sentimenti; il cigno – il bianco – della spiritualità; la fenice – il rosso – dell'immortalità. Nella simbologia cristiana erano invece considerati emblema della dispersione, delle immagini fantastiche che vagano senza meta.

Nei sogni si interpretano quali espressioni dei desideri del sognante, dai più immediatamente carnali e ludici ai più altamente spirituali. Tuttavia, come dicevamo più sopra, lo stesso volatile, mettiamo per esempio l'aquila, può indicare aspirazioni opposte: di forza, potenza, elevazione da una parte, di dominio, aggressione e crudeltà dall'altra. Così gli uccelli notturni (il pipistrello, la civetta, il gufo), la cui simbologia appare negativa, oscura, di «malaugurio», possono invece esprimere valenze positive, ad esempio la solitudine come scelta volontaria, come superamento delle illusioni mondane, suggerendo le motivazioni che la sorreggono o la contrastano.

I pesci

Partecipe dell'elemento acqua in cui vive, il pesce è stato ed è simbolo di fecondità, in analogia alla sua straordinaria capacità riproduttiva. Anassimandro lo considerava «padre e madre di tutta l'umanità»; in Cina rappresentava la fortuna e, similmente alla cicogna (la longevità), l'abbondanza. Significato quest'ultimo che ritroviamo in Occidente nei detti popolari e nell'iconografia cristiana a raffigurare quella spirituale (la parola greca *ichthus* che significa pesce è stata usata come ideogramma di *Jesus Christos Theou Uios Soter*, Gesù Cristo, figlio di Dio, Salvatore). Nel cristianesimo, del resto, la simbologia dei pesci è frequente: gli apostoli di Gesù erano pescatori, Gesù moltiplicò i pani e i pesci, il pesce fu la sigla distintiva dei primi cristiani e venne usata a designare le tombe degli adepti della nuova fede.

Per Freud, ma pure per gli indios dell'America centrale e in alcune regioni dell'Africa, il pesce è un simbolo fallico, che però, a differenza dell'uccello, sta a indicare non l'organo ma il seme. È anche simbolo del feto che galleggia nel liquido amniotico e per estensione dell'infanzia.

Nei sogni può rappresentare ciò che vorremmo e non riusciamo a «pescare» in noi, specialmente se si sogna di nuotare in fondali marini o lacustri ricchi di fauna ittica. Nei luoghi e tra i popoli che consideravano il pesce sacro, il mangiarne era proibito agli officianti del culto. Mangiare pesce in sogno è considerato auspicio di buona fortuna e di ricchezza in analogia alla facoltà riproduttiva della specie.

Sognare di trovarsi nel ventre di un pesce potrebbe essere un «residuo» letterario (si pensi a Giona e a Pinocchio), oppure annunciare il timore di sentirsi o essere imprigionati o, al contrario, il desiderio di isolarsi dall'ambiente in cui si vive.

Gli animali domestici

Contrariamente a quanto si potrebbe supporre, gli animali che ci vivono accanto non compaiono più frequentemente nel sogno di altri che non abbiamo mai visto o abbiamo raramente occasione di incontrare. Tra di essi ce ne sono tuttavia alcuni che, per la loro presenza nel quotidiano e in quanto caricati di significati simbolici in quelle civiltà da cui è derivata la nostra, ne assumono uno di rilievo nel mondo onirico. Così, ad esempio, il *gatto*, simbolo eterogeneo quanto le caratteristiche che gli sono attribuite: indipendenza e pigrizia, furbizia e superbia, diffidenza e agilità. In Giappone, considerato di malaugurio, lo si supponeva capace di uccidere le donne e di rivestirne le sembianze, superstizione che ritroviamo di poco mutata in Occidente quando, in pieno Rinascimento, si credeva che le streghe potessero mutarsi in gatti per meglio compiere i loro sortilegi. Per i buddhisti e nella cabala è associato al serpente e sta a indicare il peccato, l'uso e l'abuso dei beni terreni, mentre in Egitto la dea Bastet, protettrice degli uomini, ne aveva le sembianze. Se nero, già nell'antichità era considerato portatore di sventure e di morte. Nei sogni è stato visto quale simbolo della «femminilità», sovente in senso peggiorativo (malizia e falsità). Altre volte può rappresentare la veggenza, le doti paranormali, la capacità di vedere oltre l'apparenza di cose e situazioni.

Anche il *cane* ha dal punto di vista simbolico significati ambivalenti: in tutte le mitologie è stato guida agli Inferi (i maya lo seppellivano assieme al padrone affinché lo aiutasse a varcare i tenebrosi fiumi dell'aldilà) e, come guardiano dell'Ade, ha prestato le sue sembianze alle divinità che vi presiedevano (da Anubis a Cerbero, da Thoth a Ecate, seguita quest'ultima da una muta di cagne ululanti). Gli sono state attribuite virtù medicinali: era uno degli attributi di Asclepio e appariva nei sogni dei postulanti durante l'*incubazione*. Quale compagno dell'uomo è simbolo di fedeltà e in questa veste lo troviamo nella letteratura e nell'iconografia di ogni tempo. Nel sogno può avere, a seconda del contesto onirico, significati positivi: riproporre cioè la simbologia di guida, di dedizione oblativa; oppure negativi: esser inseguiti o morsi da cani indicherebbe la presenza di rimorsi, l'inadempienza a delle promesse.

Il *cavallo* è uno degli archetipi più potenti e complessi iscritti nel nostro inconscio, tanto che, secondo alcuni autori, comparirebbe nei sogni con frequenza maggiore degli altri animali. Nella mitologia è stato collegato alle tenebre, al mondo ctonio ma anche al sole di cui tira il carro, al fuoco purificatore (i cavalli dell'Apocalisse), al tempo (per la rapidità della sua corsa), alle passioni (per l'irruenza e l'impetuosità), alla guerra (i romani sacrificavano ogni anno un cavallo a Marte). Per Freud è il simbolo della paternità, per Jung quello dello psichismo istintuale, per Durand della potenza virile.

Montatura di re ed eroi, di messaggeri di pace o di orde devastatrici, rappresenta lo strumento, il veicolo di cui l'uomo si è servito per spostarsi, conquistare, cacciare, ingaggiare duelli e tornei, rapire fanciulle, farsi effigiare in monumenti che dovevano tramandare le sue gesta alla posterità. In questo «rapporto» con l'uomo è stato visto, e viene interpretato nei sogni, come simbolo dialettico, fattore di armonia o di conflitto. Il cavaliere guida infatti il cavallo, dirige il suo galoppo verso la meta, ma se si lascia vincere dalla potenza dell'animale va incontro a un ignoto che potrebbe essergli fatale. Allo stesso modo i cavalli onirici possono rappresentare l'accordo o la lotta tra l'io consapevole e l'inconscio, il prevalere in un determinato momento dell'uno o dell'altro. Significa anche il controllo della mente (il cavallo è una bestia che si doma) o al contrario il travolgente esplodere della passione (allo stato brado è appunto indomito e selvaggio). La credenza popolare attribuisce importanza al colore del mantello: il cavallo bianco sarebbe in sogno messaggero di buone novelle, il nero annuncerebbe eventi luttuosi, credenza che del resto si collega alla simbologia mitica di cui abbiamo detto più sopra, che lo colloca per un verso nell'universo ctonio-lunare e dall'altro in quello uranianosolare. Né si può dimenticare che il «principe azzurro», immagine tuttora presente nei sogni di innumerevoli ragazze, sta in groppa a un simbolico destriero bianco.

La *vacca*, raffigurata nel pantheon egizio nelle sembianze della dea Nathor, rappresentava per gli abitanti della valle del Nilo la fertilità, la ricchezza, il rinnovamento. Era la madre celeste di Râ, il sole, e dei suoi discendenti, i faraoni. Simbolo dell'abbondanza materiale (ricordiamo il sogno del Faraone interpretato da Giuseppe) e di quella spirituale (indicava l'immortalità), si collegava alla luna, che regolava a sua volta le piene del Nilo e sulle cui fasi si misurava il tempo. In India, dove è tuttora considerata animale sacro, presiedeva alle piogge ed era la guida dei defunti nel viaggio verso l'aldilà. Secondo una tradizione vedica, una vacca veniva accostata al capezzale dei moribondi che, prima di spirare, dovevano attaccarsi alla sua coda per garantirsi un sereno trapasso. Nelle civiltà patriarcali la simbologia della vacca è stata degradata all'aspetto materialistico della sua funzione riproduttiva, e in senso peggiorativo a designare un'ipersessualità estranea alla natura dell'animale. Il suo apparire nei sogni viene interpretato in modo tendenzialmente univoco e restrittivo come desiderio o rifiuto della maternità, trascurando i ben più ampi significati contenuti nella simbologia.

Il *toro*. Adorato nell'antico Egitto (il dio solare Api), dagli ebrei (il suo culto, proibito da Mosè, sussistette fino al regno di Daniele), dai Persiani (i seguaci di Mitra sacrificavano tori al solstizio d'inverno per celebrare la «rinascita» del sole), dai Greci (i quali lo consacravano a Poseidone, divinità delle tempeste e degli oceani, e a Dioniso, dio della virilità feconda), il toro simboleggia la forza, la possanza, la foga e per analogia gli elementi scatenati della natura. Le sue corna, paragonate alla luna crescente, erano sacre e, raffigurate su monumenti, pietre, amuleti, stavano a indicare l'energia generatrice. Cavalcare il toro (nell'iconografia vedica Çiva sta in groppa a un toro bianco) significava dominare e sublimare quest'energia. Simile significato ha il suo sacrificio che, secondo Jung, rappresenta l'aspirazione a una vita spirituale che permetterebbe all'uomo di trionfare sulle passioni. Nei sogni essere rincorsi da un toro può indicare il prevalere di pulsioni primarie e il timore che ciò accada. Può anche trattarsi della rappresentazione dell'immagine paterna, del desiderio d'accettarla o rifiutarla. In questo significato il toro si apparenta al leone, che, tuttavia, lo sovrasta, tanto da essere sovente raffigurato nell'atto di sbranarlo.

La *capra*, secondo un mito greco nutrice di Zeus, era anche il simbolo del fulmine in quanto si credeva che le invocazioni alla stella omonima servissero a far cadere la pioggia e, se non compiute, scatenassero gli uragani. Gli ebrei le attribuivano simile significato: poiché Mosè ricevette le *Leggi*, dettategli da Jahvè sul monte Sinai, durante una tempesta, a ricordo dell'evento la copertura del tabernacolo nel Tempio era tessuta con peli di capra. Anche il *cilicio*, portato dai cristiani sotto le vesti per mortificare la carne e permettere all'anima di avvicinarsi a Dio, era fatto dello stesso materiale, come lo era il mantello dei sûfi. Tramite del terrestre con il divino, per la sua agilità e la capacità di sopravvivere tra le rocce, la capra è inoltre simbolo di resistenza e libertà. Nei sogni rappresenterebbe la rivelazione di improvvise vocazioni, il desiderio di solitudine o il timore della stessa. Mentre il *caprone*, ritenuto dagli ebrei animale impuro e sacrificato durante la «festa dell'espiazione» per cancellare i peccati del popolo d'Israele (il «capro espiatorio»), identificato dalla cristianità con la lussuria, il vizio, il demonio, indicherebbe nelle immagini oniriche i sentimenti di colpa per le trasgressioni compiute e per quelle immaginate nella sfera del sesso.

L'*agnello*, considerato in tutte le civiltà mediterranee il simbolo della primavera, del ciclico rinnovarsi stagionale, del temporaneo prevalere della vita, diventò proprio in questa veste la vittima propiziatoria da sacrificare per la propria salvezza. Cristo, che lava con il suo sangue i peccati dell'umanità, è paragonato da Giovanni Battista e dall'apostolo Paolo all'agnello di Dio, immagine che si collega esplicitamente all'agnello immolato a Pasqua con il cui sangue gli ebrei tinteggiavano gli stipiti e le porte delle loro case per tener lontane le forze del male. Da una simbologia così univoca deriverebbe il significato bivalente dell'agnello nei sogni: può infatti rappresentare palesi o latenti impulsi oblativi fino a diventare sintomo di masochismo o di oscure pulsioni autodistruttive. Non va tuttavia dimenticato che nell'oniromanzia tradizionale l'agnello annunciava buone novelle, il compiersi di iniziative, speranze, intenzioni.

L'*ariete*, similmente al caprone, ma in senso più positivo, rappresenta invece la foga e l'ostinazione, la potenza generatrice e l'ardore. Come tale è stato collegato all'elemento Fuoco, allo slancio primordiale, alla penetrazione (le macchine di guerra con cui si abbattevano le porte delle città si chiamavano «arieti»), all'iniziazione (come guardiano dei «tesori» spirituali). Nei sogni indicherebbe la forza vitale, il modo con cui si subiscono o ci si libera dai freni imposti dalla ragione.

Il simbolismo del giardino, degli alberi, dei fiori

Il giardino è per antonomasia il simbolo del paradiso terrestre e innumerevoli sono le raffigurazioni artistiche come le immagini oniriche che ne rappresentano la *nostalgia*.

Il *Genesi* descrive dettagliatamente questo giardino dell'Eden, situato a oriente, ricco di vegetazione, di fiori, frutta, animali, acque, separato da quattro fiumi, con al centro l'Albero della Vita e quello della Conoscenza, l'unico da cui Adamo ed Eva non dovevano cogliere i frutti né mangiarne. La violazione del comandamento ebbe come conseguenza la *caduta*, la perdita dell'immortalità e della beatitudine. Adamo ed Eva, cacciati dall'Eden, andarono raminghi sulla terra e, da allora, la loro progenie aspira a ritornarvi.

Da allora, sulla terra sono stati costruiti innumerevoli giardini. Gli uomini li hanno abbelliti di sorgenti, grotte e fontane, disponendo la vegetazione secondo raffinati schemi architettonici, trasformandoli a volte in labirinti.

I chiostri dei monasteri, i giardini interni delle case musulmane, quelli orientali con le pietre e i ruscelli disposti a imitare il creato, gli elaborati parchi dell'età romana e quelli grandiosi del Rinascimento, i verdi *paddocks* dei paesi nordici, i lussureggianti e celati spazi tra le mura dei castelli, quelli destinati a ornare ville o dimore cittadine, sembrano tutti rispondere alla stessa esigenza.

Sono stati anche visti come simbolo di un ordine costruito dalla mano dell'uomo e, per estensione, del prevalere della riflessione sulla «naturalezza». Sovente cintati da mura per proteggerli dall'intrusione di estranei, sono stati paragonati all'oasi, all'isola, al rifugio e per analogia all'aspetto più segreto dell'essere, come pure alla donna, alla sua femminilità più riposta.

«Giardino chiuso tu sei, / sorella mia, sposa, / giardino chiuso, fontana sigillata. [...] Fontana che irrora i giardini, / pozzo d'acque vive / e ruscelli sgorganti dal Libano. / Levati, aquilone, e tu, austro, vieni, / soffia nel mio giardino, / si effondano i suoi aromi. / Venga il mio diletto nel suo giardino, / e ne mangi i frutti squisiti. / Son venuto nel mio giardino, sorella mia, sposa, / e raccolgo la mia mirra e il mio balsamo; / mangio il mio favo e il mio miele, / bevo il mio vino e il mio latte.» Così il *Cantico dei Cantici* (4, 12-16; 5,1) descrive l'offerta, la congiunzione, la perfezione dell'amore, amore che i mistici di tutti i tempi dedicano a Dio. Per san Giovanni della Croce Dio stesso era un giardino, la meravigliosa dimora dove le anime si sarebbero ricongiunte allo sposo celeste.

Quando appare nel sogno il giardino dà sovente, durante il sogno, la sensazione del distacco da ogni ansietà.

L'interpretazione è altrettanto ampia del simbolo. Secondo Aeppli, che riassume in chiave psicoanalitica le allegorie più sopra citate, è il *luogo* della crescita nel quale si svolgono le pulsioni interiori. Il passaggio delle stagioni vi si compie in forma metaforica; la vita e la sua ricchezza vi diventano immediatamente percepibili. Il muro del giardino custodisce il fiorire di queste forze interne, vi si penetra attraverso una stretta porta. Il sognatore è sovente «obbligato» a cercarla. Si tratta della rappresentazione onirica di una lenta evoluzione psichica che sta per compiersi. Il giardino può rappresentare il sé, specie quando al centro vi sia un albero o una fontana. Per l'uomo esso designa a volte il sesso della donna, o in senso più lato l'aspirazione a un amore che trascende il profano[1].

Il giardino può anche rappresentare la nostalgia di un tempo che è stato o si è creduto felice, può essere inoltre il *panorama* del sogno e in questo caso il suo significato varia a seconda dell'età di chi sogna. Se si tratta di un giovane indicherebbe un'attesa: dalla sua configurazione si potrebbero dedurre le aspirazioni e le scelte da compiere in una piuttosto che in un'altra direzione. Se invece la persona è più in là negli anni, quest'immagine onirica indurrebbe a un riesame del passato, a riscoprire fatti e sentimenti che l'io consapevole ha rimosso o dimenticato.

Alle immagini del giardino si unisce a volte una musica, una specie di colonna sonora che può sembrare, ma spesso non è, estranea al messaggio del sogno e che può aiutare a decodificarlo.

---

[1] Ernst Aeppli, *I sogni e la loro interpretazione*, Astrolabio, Roma 1953, p. 268.

Tra tutti gli elementi che compongono i giardini onirici è tuttavia l'*albero* che racchiude e presenta il significato simbolico più vasto. Simbolo della vita, dell'evoluzione, di morte e rigenerazione, di verticalità, di ascensione, l'albero mette in comunicazione i tre livelli del creato: il sotterraneo (con le sue radici), quello terrestre (con il tronco e i primi rami), il celeste (con la cima che si protende verso il cielo). Riunisce in sé i quattro elementi: l'acqua presente nella linfa, la terra dove affondano le radici, l'aria che nutre le foglie, il fuoco alimentato dal legno del tronco e dei rami.

Per la sua verticalità è stato visto come l'*asse del mondo*; mentre dal suo rinnovarsi secondo il ciclo stagionale è derivata la simbologia dell'*Albero della vita* che sta al *centro* dell'Eden, si nutre di rugiada celeste e ha dodici frutti (possibile analogia con i segni zodiacali). Lo stesso numero di frutti pende dall'albero della Gerusalemme celeste, e dodici sono le mele d'oro di quello del giardino delle Esperidi e altrettante le pesche dell'albero di Si-Wang Mou.

In Oriente come in Occidente quest'*albero della vita* è stato sovente raffigurato con le radici che si estendono verso il cielo e la chioma che si dilata verso la terra, a significare che la luce viene dall'alto e, penetrando nella terra, crea la vita (l'immagine si ripete nella *Bhagavadgîtâ*, nell'esoterismo ebraico, nella teosofia islamica, nel *Rig-Vêda*). Questo insolito rovesciamento, estraneo alla nostra idea della verticalità ascendente, è – secondo Durand – il simbolo della reciprocità delle forze celesti e di quelle terrestri, dell'unità tra micro e macrocosmo.

L'albero presiede inoltre alla *fertilità*. Numerosi sono i riti in cui gli alberi, piantati a due a due, rappresentano la coppia. Interessante a questo proposito un'usanza dravidica che riunisce i principali simboli del «generare»: gli sposi che non riescono ad avere figli si recano sulle rive di un fiume, di un lago o di uno stagno e vi piantano un albero maschio e uno femmina, legando con una corda i due tronchi. Dopo qualche tempo la donna ritorna nel luogo e deposita tra le radici una pietra, lungamente lavata con l'acqua del fiume, del lago o dello stagno, sulla quale sono stati incisi due serpenti allacciati. Solo allora si compie quell'«unione sacrale» degli alberi che permette alla donna di diventare madre.

Dal punto di vista del genere l'albero è un archetipo bisessuale: nell'ergersi del tronco rappresenta il fallo, mentre nell'espandersi della chioma, che si ricopre periodicamente di foglie, fiori e frutta, rifugio degli uccelli, è l'archetipo della madre. Da queste analogie nasce l'*albero-antenato* che, spogliato dal contesto mitico, diviene l'*albero genealogico* e indica appunto il succedersi delle generazioni.

Secondo Jung, che si rifà alla leggenda di Cibele e Attis (la madre gelosa del figlio che lo tramuta in pino), l'albero può esser interpretato, quando appare nei sogni, come rappresentativo dell'*anima* nell'uomo e dell'*animus* nella donna, stando i due termini a indicare le valenze femminili e quelle maschili che coabitano nella psiche. Allo stesso mito probabilmente risale un'altra interpretazione per cui gli alberi si collegherebbero al rapporto filiale: sognare di sradicare o recidere un albero starebbe per il desiderio di staccarsi dalla madre, oppure svelerebbe il perdurare di un cordone ombelicale psichico, una dipendenza dalla genitrice.

La fantasia onirica si serve a volte dell'immagine dell'albero per rappresentare un'idea *gerarchica* della vita (ricordiamo che nella Bibbia gli uccelli erano collocati sui rami secondo la loro «importanza» simbolica) oppure, in corrispondenza al principio vitale che gli è proprio, per indicare una pulsione di crescita e di maturazione.

Il *bosco*, formato da molti alberi, si interpreterebbe come desiderio di protezione (i boschi erano consacrati agli dèi) e simile significato avrebbe il *legno*, che in Cina è il quinto elemento zodiacale e corrisponde alla primavera.

I vari tipi di alberi hanno infine una loro particolare simbologia: così, per esempio, l'alloro è associato all'immortalità e alla gloria; la quercia alla robustezza e alla stabilità; l'olivo alla pace e alla ricompensa; l'acacia all'innocenza e all'incorruttibilità; il pino alla longevità; il cipresso alla resurrezione; il cedro alla nobiltà e così via. Nelle immagini oniriche questi significati tuttavia si modificano a seconda della personalità del sognante e vanno interpretati nel contesto del sogno.

La stessa cosa può dirsi dei *fiori*, ciascuno dei quali presenta un proprio simbolismo. Considerati nel loro insieme sono stati a volta a volta collegati:

al principio passivo (la corolla riceve e raccoglie la rugiada e la pioggia);

alla giovinezza (il loro splendore dura poco più di un attimo);

alla virtù (san Giovanni della Croce li ha paragonati alle qualità dell'anima, essendo il mazzo che li raccoglie la perfezione spirituale);

ai sentimenti (per Novalis sono simbolo d'amore e d'armonia);

alla retorica (nel «linguaggio dei fiori» ogni fiore esprime un suo messaggio);

alla spontaneità e alla purezza (crescevano nell'incontaminato paradiso terrestre);

all'ispirazione (i poeti li hanno usati in innumerevoli metafore);

all'instabilità (appena colto il fiore appassisce);

alle anime dei morti (Persefone, regina degli Inferi, fu rapita da Ade mentre coglieva dei fiori).

Nei sogni possono assumere tutti questi significati e altri ancora. Così, per esempio, la *rosa*, che rappresenta inoltre l'amore sacro e quello profano, nominata nelle litanie alla Vergine, indicata da Dante come centro della perfezione mistica nel trentesimo canto del Paradiso, coppa del sangue di Cristo, inviata da cavalieri e amanti a dame e pulzelle, la rosa se rossa esprime la passione, se bianca la purezza.

Alla rosa si apparenta nelle civiltà orientali il *loto*, il cui simbolismo è tuttavia ancor più sacrale: nell'iconografia dell'antico Egitto Râ, il sole, nasceva dal loto, in India sta al centro del mandala ed è il simbolo del terzo occhio e della rivelazione.

Diverso, sovente opposto al simbolismo della rosa e del loto, quello del *giacinto* che, in analogia alla leggenda greca, è considerato espressione di pulsioni tendenzialmente negative. Secondo la leggenda, Giacinto, figlio del re di Sparta, splendeva di tale bellezza da fare contemporaneamente innamorare Apollo e Zefiro. Quest'ultimo, geloso delle preferenze che il giovane accordava al dio, deviò il disco che Apollo gli rimandava per gioco, in modo da colpire mortalmente Giacinto, che, non potendo essere reso immortale, fu trasformato in fiore.

Nella rappresentazione onirica il giacinto indicherebbe sotterranee, celate gelosie oppure oscuri sensi di colpa per tradimenti anche solo immaginati.

Un altro fiore il cui nome si collega alla mitologia ellenica è il *narciso*. Benché non sia facile stabilire l'analogia tra l'umile fiore che sboccia nei prati a primavera e l'amore di se stessi implicito nel mito, sognare narcisi sarebbe sintomo di compensatorie sopravvalutazioni della propria persona.

Quanto alla *frutta*, essa è in generale simbolo di abbondanza (riempie la cornucopia di Amaltea, orna le tavole imbandite nei banchetti degli dèi). L'interpretazione che si può darne, quando appare nei sogni, si basa sulla forma, sulla provenienza, sul nome. Nell'immagine onirica rappresenterebbe il desiderio erotico, specie per i frutti la cui forma è associabile all'organo maschile (pere, banane, meloni) o a quello femminile (fichi, prugne, noci).

Significato particolare è stato attribuito alla *mela* che compare in numerose religioni e leggende come simbolo della conoscenza, della perdizione e della discordia: è per aver mangiato la mela dell'albero del Bene e del Male che Adamo ed Eva furono cacciati dall'Eden; le mele del giardino delle Esperidi, dono di nozze di Gea a Era, erano custodite da un feroce drago in modo che nessuno potesse impadronirsene; una mela, donata da Paride ad Afrodite, fu la causa della guerra e della distruzione di Troia; e sotto un melo Merlino insegnava a Viviana la sua arte magica.

Nella sua simbologia di frutto «proibito», la mela sarebbe nei sogni sintomo di aspirazioni irrealizzabili. Secondo Jung rappresenterebbe quella di impossessarsi della sapienza divina e indicherebbe il peccato d'orgoglio. Secondo Aeppli una mela bacata che appare nel sogno equivarrebbe a un richiamo dell'inconscio a rivedere le proprie idee – o pregiudizi – morali.

Poiché con l'eufemismo di «mezza mela» si indica uno dei partner della coppia, che vuole per l'appunto unirsi all'«altra metà», sognare mele starebbe anche per il desiderio di congiunzione carnale.

C'è infine un frutto diventato «celebre» perché comparso in un sogno di Anna Freud, sogno che analizzato dall'illustre padre contribuì alla formulazione della nota teoria freudiana per cui il sogno è l'appagamento di un desiderio. La bambina, avendo fatto indigestione di fragole, era stata tenuta digiuna. Nel sonno aveva mormorato, «fragole, fragoloni, pappa», dimostrando di sognare proprio quel cibo che le era stato negato.

Anche in un sogno citato da Aeppli le fragole sembrano aver avuto una non secondaria importanza. Un giovane afflitto da estrema timidezza era stato invitato a una festa, ma, pur desiderandolo, aveva deciso di non parteciparvi. La notte precedente alla festa aveva sognato d'aver raccolto sulla soglia di casa delle fragoline di bosco e di averle mangiate con gusto. Cosa che lo aveva rincuorato tanto da indurlo a vincere la sua ritrosia. Alla festa aveva incontrato una ragazza con una piccola voglia di fragole sulla guancia che l'aveva invitato a ballare rendendolo felice.

Il simbolismo del viaggiare e degli elementi

Nella vita vigile il viaggio o, meglio, il viaggiare è un'esperienza comune e nello stesso tempo straordinaria. È una prospettiva di cambiamento, di scoperta e rinnovamento, di sostituzione di un mondo a un altro, di esplorazione e di purificazione, di conquista o di riappropriazione di un qualcosa che avevamo perduto, che ci era sfuggito, che avevamo dimenticato o rimosso. Può anche essere fuga, desiderio di imprevisto, abbandono o distacco.

Che la sua dimensione sia temporale, geografica o immaginaria il viaggio è in ogni caso un muoversi verso un *altrove*, che talvolta significa la trasformazione del viaggiatore in un *altro*.

Il cambiamento di luogo non è solo cambiamento di ambiente e paesaggio, è modificazione mentale di ciò che si è o si crede di essere[1].

Nella dimensione onirica il viaggio mantiene la molteplicità dei suoi significati, tuttavia sovente li trasfigura e rovescia.

Nell'interpretazione dei viaggi fatti in sogno decisiva importanza hanno, oltre ai luoghi, i modi e i mezzi, le persone e gli incontri, i panorami e gli stati d'animo provati dal sognante che possono svariare dalla gioia al timore, all'ansia, all'incubo.

Bisogna inoltre tener conto dei residui diurni, di quelle immagini della vita vigile che sovente riaffiorano nei sogni che possono talvolta avere scarso significato simbolico, talaltra suggerire ciò che di più segreto e sorprendente si cela nel nostro inconscio.

Così, per esempio, un paziente che si rallegrava di aver rivissuto pari pari in sogno una vacanza particolarmente felice, raccontando il sogno all'analista aveva scoperto quanto diversa fosse la vegetazione dell'isola apparsagli, la barca usata per approdarvi e

[1] Cfr. Serena Foglia, *Piaceri felicità fortuna*, Rizzoli, Milano 1993.

persino l'età della sua compagna. Nel sogno si erano inseriti elementi che rendevano assai più complessa l'interpretazione data in un primo momento dal sognante.

Il mutamento dell'età di persone care e vicine avviene sovente in sogno. Se le invecchiamo significa che siamo in qualche modo in ansia per loro, oppure che temiamo di perderle, o, al contrario, pur non rendendocene conto, vorremmo allentare il rapporto o modificare ciò che sembra diventato ripetitivo.

Se le ringiovaniamo può trattarsi di un rimpianto per un tempo che era – o si credeva – più coinvolgente e appassionato, o al contrario del desiderio di scaricare responsabilità vissute come faticose e opprimenti.

Quanto alla *barca*, è un'immagine onirica piuttosto comune. Si riallaccia a due simbologie: il rischio e l'illusione. La prima è analogicamente evidente: «andar per mare», per quanto si sia esperti, è pericoloso, ma altrettanto può esserlo illudersi.

Secondo Artemidoro i sogni in cui compaiono barche, battelli o navi esprimono desideri di libertà che tenderanno a realizzarsi. Sono dunque di buon augurio.

Se tuttavia il sognante ha compiuto o sta per prendere decisioni impegnative o si è «illuso» nei confronti di una persona, di un rapporto o di uno scopo, questi sogni, specie se ricorrenti, sollecitano dubbi e inquietudini che potrebbero rivelarsi salutari.

L'autore dell'*Oneirocritica* paragona il sognante al capitano impegnato a reggere la rotta, a evitare gli scogli, e consiglia di non sottovalutare il significato simbolico dei tipi di imbarcazione.

Autori come Jung e Bachelard risalgono invece al significato archetipo della barca – nelle antiche civiltà traghettava le anime dei defunti – attribuendovi valenze di morte. Nel sogno sarebbe un segnale inteso a indicare il compiersi di un ciclo e l'aprirsi di uno non ancora chiaramente percepito.

Qualunque sia l'imbarcazione che appare in sogno, non si può prescindere dall'elemento in cui naviga. Simbolo molteplice e complesso, l'*acqua* assume nel mondo onirico innumerevoli aspetti e altrettanti significati.

Come archetipo si collega al principio vitale, alla figura materna, alla nascita, alla verginità, all'inizio.

Se si sogna di immergersi nell'acqua il sogno potrebbe esprimere un desiderio di purificazione (analogia con il battesimo che lava la colpa originale e che originariamente avveniva immergendo il neofita in un fiume o in un lago), ma anche un flusso di emozioni che inconsciamente si percepiscono come un sovraccarico.

Se invece si sogna una sorgente, sia essa naturale o artificiale, il messaggio del sogno avrebbe a che vedere con l'erompere di pulsioni troppo a lungo controllate o represse.

Una paziente afflitta da crisi di angoscia aveva, per esempio, un sogno ricorrente: in un piazzale deserto «vedeva» un'enorme fontana barocca ornata da naiadi e delfini dalle cui bocche uscivano alti e prorompenti zampilli. Man mano che si avvicinava, la fontana si prosciugava e l'acqua invece di sgorgare veniva riassorbita. All'improvviso naiadi e delfini si trasformavano in cavalli che al galoppo invadevano la piazza circondando la sognante che tuttavia si sentiva tranquilla e per nulla spaventata.

L'interpretazione di questo sogno può riassumersi nel tentativo dell'inconscio di inviare un messaggio liberatorio a un io vigile contratto su se stesso.

In senso più generale mentre l'acqua – specie quella del mare – propone dimenticati o rimossi ricordi d'infanzia e rivela un bisogno di appoggio e rassicurazione, l'*aria* nella quale in sogno ci si libra come se si avesse le ali, è un simbolo di libertà, di indipendenza, di proiezione verso il futuro.

Pur essendo dei quattro elementi il più necessario alla nostra sopravvivenza, l'aria non ha forma, si presenta dunque in sogno sotto forma di *vento*.

Ricordiamo il sogno di Cartesio. Il filosofo si era sentito scaraventare da un vento tempestoso contro la Chiesa del Collegio di La Flèche, dove si recava per dire le sue orazioni. Svegliatosi di soprassalto, aveva provato grande spavento e aveva dato la seguente interpretazione del sogno: il vento voleva costringerlo a fare ciò che stava per intraprendere: scrivere «il libro del mondo» che sarebbe diventato *Il discorso sul metodo*.

L'interpretazione del vento onirico sarebbe insomma legata alla sua intensità che, se forte, sarebbe un segnale di una evoluzione *in fieri*, se invece più lieve indicherebbe l'accentuarsi delle capacità di scrutare ciò che ci sta attorno.

Secondo un'antica leggenda Dio avrebbe creato il cavallo condensando il vento che si leva a raffiche prima della tempesta. In quest'ottica il vento comporterebbe un'indicazione negativa: una collera repressa pronta a esplodere.

Quanto al *volo*, sogno tra i più comuni, quando lo si fa, si è nel sogno stesso stupiti di muovere le braccia come fossero ali, di planare su luoghi conosciuti o ignoti che si rivelano in una dimensione diversa dall'usuale.

Per quanto piacevoli, questi voli onirici da una parte indicano l'aspirazione a elevarsi sopra la quotidianità, a intraprendere un cammino spirituale, dall'altra possono indicare tentazioni di evasione, di fuga, di rifiuto per la realtà.

Per Freud sono collegati a erezioni e/o eiaculazioni notturne, ma poiché sono frequenti anche nelle donne l'interpretazione data dal fondatore della psicanalisi sembra restrittiva.

Ci sono inoltre i sogni in cui si viaggia in *aereo*, sogni che se non sono residui diurni e se non riflettono la paura – non così rara – di salirvi da svegli, mutano di significato a seconda di come si svolge il viaggio. Se, per esempio, l'aereo punta verso il cielo e sembra non tornare più a terra si è in un momento in cui, sentendosi incapaci di risolvere un dubbio o un conflitto, si tende a fantasticare e a propendere per soluzioni irrazionali.

Se invece ci si trova a pilotare l'aereo, il sogno sarebbe di buon auspicio, rivelerebbe una solida fiducia in se stessi.

Quando si vola – ma anche da terra – si vedono o a volte si «attraversano» le *nuvole*, il cui simbolismo onirico ha a che vedere con l'incapacità di rendersi conto di ciò che si svolge dentro noi stessi, come se un velo oscurasse la chiarezza. L'analogia è tra le più dirette: da terra le nubi impediscono di vedere il cielo, in cielo di vedere la terra.

L'interpretazione varia a seconda del tipo di nuvole – strati, cumuli o cirri – che tuttavia, secondo Goethe, dovrebbero in ogni caso rivelare una potenzialità poetica.

Scendendo dal cielo alla *terra*, quest'ultima come elemento in sé appare in sogno molto raramente. Sulla terra nasciamo, viviamo e in essa veniamo sepolti. Dal tempo dei tempi è stata considerata la Grande Madre da cui tutto ha origine, simbolo dunque di fecondità e ricchezza così come lo sono le immagini oniriche in cui la si lavora, la si ara, la si semina e in cui la si usa per qualsiasi scopo.

Non bisogna infatti dimenticare che è con la terra che Dio ha creato Adamo e l'uomo innumerevoli opere. Vederla in sogno può perciò essere interpretato come un inizio, un tendere a un qualcosa oscuramente percepito.

Ciò che appare più frequentemente nelle nostre immagini oniriche sono i viaggi che sulla terra si compiono, il modo e i mezzi con cui li si intraprende, le strade che si percorrono.

Le *strade* corte o lunghe, larghe e strette, deserte o affollate, agevoli o faticose sono il simbolo del destino, un destino che non ci è dato conoscere. («Nel mezzo del cammin di nostra vita, mi ritrovai per una selva oscura», e la selva è sempre oscura). Le strade del sogno sono ingannevoli e ambigue, sovente indicano tragitti opposti a quelli che si vorrebbero seguire nella vita vigile.

Ne è un esempio un sogno di un paziente di Jung riferito da Jung stesso[2]: un uomo di quarant'anni, svizzero, di umili origini, che è riuscito a studiare con i propri mezzi e a diventare professore lamenta ad un certo momento alcuni disturbi – vertigini, nausee – di cui non si riesce a trovare l'origine patologica. Perciò decide di rivolgersi a Jung, il quale collega i disturbi a uno psichico «mal di montagna». Jung sostiene infatti che il suo paziente, che ha già raggiunto una vetta sufficientemente elevata per le proprie capacità, ora «soffre» perché si è messo in testa di raggiungere una vetta ancora più alta, e non ne ha le doti necessarie (il paziente ha infatti in progetto di ottenere una cattedra a Lipsia).

Nel primo sogno che il paziente racconta, egli si vede in un piccolo villaggio svizzero; è vestito molto solennemente in contrasto con l'ambiente del villaggio e con gli abiti di alcuni ragazzi che giocano e che avevano fatto parte della sua infanzia. Questo sogno mostrerebbe, secondo Jung, la contraddizione tra l'ambiente di origine del paziente e la sua posizione attuale che egli esibisce davanti ai bambini di allora.

Nel secondo sogno il paziente sta per partire. Deve preparare la valigia, ma perde molto tempo, non trova le cose, le dimentica, fa insomma molta fatica, per cui, quando arriva alla stazione, vi giunge in ritardo e vede il treno allontanarsi. Il treno è molto lungo e la sua testa sta per avanzare su un rettilineo mentre la coda è ancora in curva. Il paziente dice (sempre in sogno): «speriamo che il macchinista non spinga a tutta velocità la macchina, perché la coda del treno è ancora in curva e deraglierebbe». Ma il macchinista accelera e succede la catastrofe; il paziente si sveglia in preda al caratteristico terrore dell'incubo.

Questi sogni – seguiti da altri che permisero a Jung di diagnosti-

    [2] C.G. Jung, *Gli archetipi dell'inconscio collettivo*, citato da S. Resnik, *Il teatro del sogno*, Boringhieri, Torino 1982.

care e curare la patologia – indicano il conflitto tra le aspirazioni (le strade) e la possibilità di realizzarle (percorrerle).

Il secondo sogno propone inoltre un importante simbolo – il treno – che appare spesso nel nostro mondo onirico, e si presta a numerose allegorie e ad altrettante interpretazioni.

Il *treno* è un simbolo importante perché si muove nello spazio e nel tempo tra la partenza e l'arrivo. Ci sono dei punti di riferimento rappresentati dalle stazioni e dal paesaggio che si scorge dai finestrini e che si modifica continuamente come accade – sia pur secondo coordinate molto diverse – in sogno.

Il treno è inoltre composto da vagoni collegati l'uno all'altro ma nello stesso tempo ciascuno è un'entità a sé che contiene gli scompartimenti, a loro volta piccoli mondi autonomi.

Rappresenta dunque la molteplicità dei pensieri e la contraddittorietà delle pulsioni istintive. È tuttavia un insieme «ordinato» che viaggia su rotaie, su un percorso obbligato ed ha una meta.

Se si arriva in ritardo, «si perde il treno» nella vita vigile come nel sogno, dove capita a volte di rincorrere un treno già partito provando una tremenda angoscia perché si ha la sensazione che non ce ne saranno altri, che non arriveremo mai a destinazione.

In questo caso il messaggio inviato dal sogno è esplicito: anche se non si vuole (non si è in grado di) ammetterlo si è in un momento di sfiducia, si teme di fallire ciò che ci si è proposti, non si scorgono vie d'uscita, lo sconforto tende a prevalere.

Se invece in sogno ci si trova impediti da pesanti bagagli e si fatica a salire sul treno, questi bagagli altro non sono se non un appesantimento interiore dovuto a conflitti irrisolti o rimossi. Esemplare un sogno ricorrente di una paziente in analisi riportato da Resnik: una donna che per sposarsi aveva rinunciato a una brillante carriera e si diceva felice della situazione in cui era venuta a trovarsi, si vedeva in sogno trasportare una piccola valigia che man mano si trasformava in un enorme armadio. Per quanti sforzi facesse non riusciva a caricarlo sul treno che si metteva improvvisamente in moto facendole cadere addosso tutto ciò che esso conteneva.

Anche qui il messaggio – pur con tutte le riserve relative a un più vasto e specifico approfondimento – appare trasparente: una decisione reputata agevole in realtà sofferta (carriera versus matrimonio) che si è cristallizzata nell'inconscio e si rivela a mezzo del teatro onirico.

Per quanto riguarda i viaggi in generale – qualsiasi sia il mezzo usato – è necessario pagare il prezzo del trasporto. Cosa che ci introduce ai significati che il *denaro* ha quando si presenta nei sogni.

Se si tratta del biglietto bisogna tener presente che, a seconda della comodità e del lusso offerti, la somma da pagare è diversa. Nella vita vigile chi dispone di maggior ricchezza può permettersi di pagare il prezzo più alto. Mentre in sogno può accadere che una persona agiata si veda sistemata nel peggior modo. Ciò non significa che il sognante si trova in difficoltà economiche, piuttosto che sta attraversando un momento di deficit psichico.

I sogni di denaro tendono tuttavia a esser compensatori: chi è povero sogna di vincere al gioco, di trovare un tesoro nascosto. Le varianti di quest'ultima eventualità sono innumerevoli e antichissime. Una, assurta a leggenda, ha avuto l'onore di essere raffigurata nella cattedrale di S. Pietro e Paolo a Londra.

Un calderaio del Suffolk vissuto nel 1400, tale John Chapman, sognò che si sarebbe recato nella capitale dove avrebbe incontrato uno sconosciuto il quale gli avrebbe rivelato l'esistenza di un tesoro nascosto. Avuta l'opportunità di andare a Londra, incontrò un uomo che gli disse di scavare nel giardino adiacente alla sua casa assicurandogli che vi avrebbe trovato un vaso pieno di monete d'oro. Tornato al paese, John scavò, trovò il tesoro e, per render grazie al buon Dio che gli aveva elargito una così inattesa fortuna, ne offrì una parte per la costruzione della chiesa di S. Pietro e Paolo.

Lasciando da parte le leggende, che tuttavia con la loro impronta archetipica si trasmettono all'inconscio collettivo, quando monete, oggetti preziosi, o più modernamente assegni e titoli di credito appaiono in sogno li si considera segni di buon auspicio.

Né si può dimenticare l'antica superstizione tuttora in voga per cui i numeri apparsi in sogno promettono guadagno. Il permanente successo delle *Smorfie*, opuscoli apparsi nel Settecento che agganciano i sogni ai numeri da giocare al lotto, è un'estensione di questa credenza.

Al contrario dei sogni di denaro, quelli in cui compare il *fuoco* sono estremamente complessi. Il fuoco è simbolo della divinità, dello spirito, dell'illuminazione, dell'intelletto, dell'energia, del calore, della vitalità, del piacere, della voluttà ma anche della sfrenatezza, della pazzia, dell'ira, dell'odio, della distruzione, dell'inferno.

Le religioni celebrano «le fiamme» dell'amore e del sacrificio e i mistici ne hanno descritto la sublime forza purificatrice.

Il castigo divino si esprime con il fuoco e gli incendi, non solo quelli provocati dall'odio bellico, hanno ucciso milioni di persone, devastato città, opere d'arte, biblioteche, palazzi, umili case.

Nel teatro onirico il fuoco rappresenta perciò significati tanto contraddittori da dover essere analizzati e interpretati caso per caso secondo il particolare e specifico svolgimento del sogno in relazione al sognante.

Il simbolismo dei colori

Si sogna in bianco e nero o a colori? La domanda si è posta più di frequente da quando cinema e televisione proiettano sugli schermi immagini che in certo modo somigliano a quelle dei nostri sogni.

Recenti ricerche sperimentali hanno cercato di rispondervi senza tuttavia ottenere risultati di rilievo. C'è chi sostiene che il colore interviene in tutti i sogni e chi invece lo indica presente solo nei «grandi sogni» a forte contenuto emotivo e simbolico. Secondo un'ulteriore ipotesi, nei sogni ci sarebbe un colore «dominante» che ne qualificherebbe il tono, un po' come un panorama può influenzare uno stato d'animo. I colori netti e brillanti sarebbero, per esempio, indice di una intensa attività dell'inconscio, mentre le tinte ocra, grigie e sfumate ne presupporrebbero una minore.

A mio avviso, il colore onirico ha un'importanza non secondaria: essendo un richiamo «visivo» aiuta a mantenere vivo il ricordo di ciò che abbiamo sognato. E poiché «dimenticare» i sogni equivale a non poterli interpretare, tutto ciò che attenua il loro dileguarsi è significativo.

I colori hanno inoltre una simbologia che, pur variando nell'interpretazione, è universale. Sono stati associati ai quattro elementi (il rosso al fuoco; il bianco all'aria; il verde all'acqua; il marrone alla terra); alla dimensione spaziale (il verticale è rappresentato dall'azzurro, l'orizzontale dall'arancione che si fa più chiaro a oriente e più scuro a occidente); a quella temporale (il bianco è simbolo dell'eterno, il nero del transeunte); al principio dualistico (vita e morte, Yin e Yang, sole e luna, luce e tenebre, anima e corpo); ai punti cardinali (nord: nero; ovest: azzurro; sud: rosso; est: bianco – attribuzioni che tuttavia variano a seconda delle epoche e dei luoghi); ai pianeti (i sette colori dell'arcobaleno sono stati attribuiti ai sette pianeti, alle sette note, ai sette giorni della settimana); ai fondamenti alchemici (il nero corrisponde alla materia e all'occulto, il grigio alla terra, il bianco al mercurio e all'innocenza, il rosso allo zolfo, al sangue, alla sublimazione, l'oro alla Grande Opera).

Nella tradizione cristiana, che esalta il mitologema della *luce*, la simbologia dei colori ispira le opere d'arte, gli affreschi e le vetrate delle chiese, i dipinti che celebrano la vita e la passione di Cristo, la Vergine, i santi, la storia sacra biblica e quella del Vangelo. Il bianco rappresenta il Padre, la fede, la castità; il blu il Figlio, la Madonna, l'elevazione; il rosso lo Spirito Santo, l'amore, la carità; il verde la speranza; il violetto il pentimento; il nero la penitenza.

La tradizione popolare attribuisce al nero significato di malaugurio (gatti, cani, cavalli neri sono simbolo di sfortuna). La psicologia applicata distingue tra colori caldi e colori freddi, i primi (il rosso, l'arancione, il giallo) avrebbero un potere stimolante; i secondi (il verde, il blu, il violetto) uno sedativo e tranquillizzante. In base a queste associazioni i camici e la biancheria dei reparti chirurgici sono stati cambiati da bianchi in verdi e verdi sono le superfici dei tavoli da gioco, di quelli da riunione, i biliardi e così via. Anche l'arredamento di case, uffici, fabbriche, luoghi pubblici tiene a volte conto dello stesso principio.

La gamma dei colori e delle loro sfumature è vastissima. Sette sono tuttavia quelli fondamentali (lo spettro dell'arcobaleno) ai quali si aggiunge il nero che rappresenta il polo opposto del bianco. Ne diamo qui di seguito un breve cenno.

Il rosso

Colore del fuoco e del sangue, è simbolo del principio vitale. A seconda se chiaro o cupo assume però significati diversi. Il *rosso chiaro*, in analogia alla vivacità della tinta, è maschile, solare, diurno, si collega all'azione, all'impulsività, alla giovinezza, alla salute, alla ricchezza. È l'Eros libero e trionfante dei riti dionisiaci, è il colore associato in Oriente alle festività primaverili, ai matrimoni e alle nascite. Designa anche la *rubedo* alchemica (il cinabro ottenuto dallo zolfo e dal mercurio indica il superamento dalla condizione soggettiva, la «via» verso l'immortalità). Per augurare felicità, riuscita, successo in Giappone si colora di rosso il riso e rossa era la cintura che gli uomini portavano dopo il congedo militare a testimonianza della loro fedeltà alla patria.

Rappresentando la foga e l'ardore, il rosso è inoltre simbolo dell'espansione, della lotta, della battaglia. Marte, il pianeta «rosso», presiedeva, assieme alla divinità omonima, alla guerra e alle sue sorti. Nell'antica Roma i vincitori portavano emblemi di *porpora* e in seguito la porpora divenne sinonimo di potere (il codice di Giustiniano condannava a morte chi vendeva o comperava stoffa di questo colore). Le vesti degli imperatori di Costantinopoli erano purpuree. Mefistofele, principe dell'Inferno, è raffigurato con un manto della stessa tinta, che è tuttora quella usata per gli abiti dei cardinali, prìncipi della Chiesa.

Il *rosso cupo* è notturno, femminile, segreto. A differenza del chiaro, che indica l'espressione vitale, rappresenta il mondo sotterraneo, il fuoco nascosto nella profondità della terra, il mistero. Nei riti iniziatici assumeva un significato sacramentale, quello della conoscenza esoterica interdetta ai profani (gli iniziandi ai misteri di Cibele venivano calati in una fossa coperta da una grata e bagnati con il sangue di un toro o di un ariete sacrificati sopra di loro). Questo rosso è inoltre simbolo del peccato e della trasgressione: i bordelli avevano sull'uscio una luce rossa e i locali dove si proiettano film o spettacoli pornografici sono tuttora indicati con la stessa insegna. Più antica, e praticata in Oriente come in Occidente, era l'usanza di interdire alle donne mestruate la partecipazione alla vita sociale. Considerate «intoccabili» (il sangue mestruale era «impuro» perché, passando dall'utero, si credeva portasse la sua polarità negativa nel mondo diurno), dovevano compiere riti purificatori prima di essere riammesse nella comunità. La discriminazione, che vige tuttora in alcune località dell'India, ha lasciato degli echi anche nei paesi dove la parità dei sessi è sancita dalla Costituzione: nel periodo delle regole si sconsiglia alle donne di curare le piante in quanto toccandole (con «mani impure») potrebbero farle avvizzire.

Quando colora le immagini dei sogni, il rosso assume le ambivalenze dei significati sopraccitati. Nell'interpretarlo si dovrebbe perciò tener conto di queste varianti, non ultime quelle del sesso e dell'età del sognante. E poiché nel sogno si può attribuire il rosso a oggetti, piante, animali, persino a persone che nella realtà rosse non sono, il colore che li accomuna – pur nella diversità del messaggio contenuto in ogni immagine – può esser visto come un'espressione d'*intensità*, di quella dialettica che all'ardore della passione oppone l'oppressione del potere, dialettica propria di questo simbolo.

Il giallo

Lieve o intenso, stridente o caldo, il giallo è, secondo la cromatologia di Kandinsky, il colore che per la sua tendenza al chiaro ha maggior affinità con il bianco. La gamma delle sue sfumature è limitata, la sua analogia più frequente l'oro. Attributo di principi e sovrani, colora l'alloro del potere terreno come pure le aureole di Cristo e dei santi. Simbolo del divino e dell'eterno campeggia sulla bandiera dello Stato del Vaticano e sugli altari delle chiese, ma illumina anche gli occhi dei guardiani degli Inferi, siano cerberi o draghi.

È inoltre il colore del grano, delle spighe mature, della terra fertile, ma anche di quella disseccata dal solleone. In questa seconda versione annuncia l'autunno, la vecchiaia, la morte (la pelle dei cadaveri è giallastra), e viene usato per rappresentare qualità negative come l'orgoglio, la presunzione, la gelosia. Associato all'adulterio (in analogia ai sacri legami rotti da Lucifero), è stato usato per designare i traditori, le porte delle cui case venivano dipinte di giallo per additarli al pubblico disprezzo. Il Concilio Laterano del 1215 ordinò che gli ebrei portassero un segno giallo sui loro vestiti, usanza ripresa dai nazisti che fecero della stella gialla il marchio persecutorio degli israeliti. Anche in Cina questo colore ha una doppia simbologia: qualifica le insegne e gli abiti dell'imperatore, a indicare che come il sole egli è al centro dell'universo, mentre nel teatro tradizionale gli attori che rappresentano personaggi crudeli o cinici si dipingono la faccia di giallo.

Nel sogno il giallo mantiene le due polarità simboliche: nelle sfumature verso l'oro può esser interpretato quale espressione di gioia ed estroversione, in quelle fredde di delusione, di slealtà, di eventuali sensi di colpa prodotti da tradimenti compiuti o immaginati.

L'arancione

Punto di mezzo tra il rosso e il giallo, è il simbolo dell'equilibrio tra razionalità e istinto. Ma poiché l'equilibrio è per sua natura instabile e tende a rompersi, l'arancione contiene anch'esso una doppia simbologia. Da un lato rappresenta l'armonia (le vesti dei monaci buddhisti, dei seguaci di Rajneesh, la croce dei Cavalieri di Santo Spirito, il velo delle spose indù, e quello che Virgilio attribuisce a Elena, i pepli delle Muse sono tutti color «zafferano»), dall'altro indica l'infedeltà e la lussuria (lo si adoperava per dipingersi il volto nei rituali orgiastici).

Nei sogni sembra tuttavia assumere significati positivi e viene interpretato in senso attivo come espressione di calore, presenza, affettività. Può anche essere un segno di valenze androgine non manifeste che cercano di rivelarsi.

Il blu

Profondo, immateriale, freddo, puro, queste le qualifiche del colore che persino una canzonetta di qualche anno fa celebrava come «blu dipinto di blu». Blu è l'uccello della felicità, il fiore della poetica di Jean-Paul, l'acqua del mare, i riflessi del diamante. E se l'azzurro appartiene al cielo e alle fantasticherie, il blu, che è il suo oscurarsi, rappresenta la notte, lo stato *irreale* del sogno. Usato per indicare i sogni stessi più che ciò che vi appare, è stato collegato all'oro del sole, emblema degli dèi e della Divina Provvidenza. Nella simbologia ebraica Jahvè sedeva su un trono azzurro, in quella ellenica Zeus poggiava i piedi sul cielo, nella cristiana blu è il manto che copre e vela il Mistero. Tre gigli d'oro su sfondo blu campeggiavano nel blasone dei re di Francia a indicare la loro origine divina.

Blu si dice che sia il sangue degli aristocratici: ma in questo caso non si tratta di una metafora destinata a designare la nobiltà del rango bensì di un'usanza derivata dalla proibizione di bestemmiare che nel tardo Medioevo fu estesa anche ai nobili. I quali, specie in Francia, non desistettero dal nominare il nome di Dio invano, ma sostituirono il *par Dieu* con *parbleu*, sicché servi e valletti nel riferirsi ai loro padroni li soprannominarono «signori blu».

Quando appare nei sogni il blu dei toni chiari può significare aspirazioni spirituali (castità, sentimenti oblativi, misticismo), quello più scuro è a volte interpretato in senso negativo: secondo alcuni autori sarebbe il colore dominante nei sogni dei depressi e degli ipocondriaci, secondo altri indicherebbe la compensazione di un apparente ottimismo diurno.

Il verde

Combinazione del giallo e del blu, è il colore prevalente nella natura dalla primavera all'autunno. Indicando il rifiorire della vita, è il simbolo della speranza, una delle tre virtù teologali (la fede si collega al rosso, la carità al bianco).

Verde è la faccia di Visnù e il corpo della Venere di Fidia; il mantello di Kherz, il saggio dei saggi, colui che illuminò Mosè ed è la guida dei mistici sûfi, e la cappa di san Giorgio, patrono dei viaggiatori; verde è la bandiera dell'Islam, lo stemma d'Irlanda, i pascoli delle Isole Felici della mitologia celtica. Verdi gli occhi dei gatti che nell'antico Egitto era proibito uccidere e la luce dello smeraldo che gli alchimisti associano al *raggio verde*, quello che trapassa ogni cosa e che la tradizione popolare vuole sia visibile nell'istante in cui l'ultimo raggio del sole sprofonda nel mare. Verde l'emblema dei naturisti e degli ecologi, e ancora verdi sono stati immaginati dalla fantascienza i marziani e, come abbiamo già detto, verdi sono le coperture dei tavoli da gioco e i camici dei chirurghi quando operano.

Considerato nelle più diverse civiltà un colore rassicurante, calmante, rinfrescante, tonificante, *mediatore*, esso assume tuttavia a volte un significato negativo: «ridere verde», «essere al verde», «diventar verdi» esprimono considerazioni di paura, di indigenza, di minaccia, persino di follia (sarebbe stato fin dal Medioevo il colore con cui si designavano i pazzi e quello degli occhi di Satana).

Quando appare nei sogni indica l'attesa, la pazienza, la speranza, il riemergere dei ricordi d'infanzia e di adolescenza («età verde») e andrebbe analizzato in relazione a tutto ciò che riguarda le pulsioni latenti, i desideri non ancora espressi, il potenziale da realizzare.

Il viola

Racchiude la simbologia dei due colori che lo compongono: il rosso (energia, istinto, passione) e il blu (spiritualità, elevazione, saggezza), e nel riunirli ne smussa gli aspetti più pronunciati; rappresenta dunque la *temperanza*. E poiché dal punto di vista cromatico si ritiene che il viola «assorba» la luce, esso è per analogia un simbolo di metamorfosi. Viola è stata raffigurata la tunica di Cristo durante la via crucis, di viola si addobbano le chiese il venerdì santo e durante le cerimonie funebri. Per estensione il viola è il colore del mezzo lutto, ma, in quanto «spegne» l'ardore del rosso, rappresenta anche la pacificazione, il controllo delle passioni (la tonaca dei vescovi, il cui compito è di mediare i problemi delle anime loro affidate, è di questo colore), l'obbedienza, la sottomissione. In quanto contiene del blu indica la segretezza, il saper custodire ciò che si è appreso a livello iniziatico e in questo senso è in certi riti il colore degli inizandi.

Nelle immagini oniriche indicherebbe latenti e indefinite malinconie, i sentimenti nel loro aspetto temperato e, a mio avviso, non annuncia, come vuole la tradizione oniromantica, tristezze e dolori, ma va interpretato piuttosto come un desiderio di pacificazione.

Il bianco e il nero

Il bianco è il controcolore del nero, come il nero lo è del bianco. Entrambi si situano alle due estremità della gamma cromatica e non hanno sfumature se non quelle dell'opacità e della brillantezza. Usati per rappresentare due polarità, il loro opporsi, completarsi e succedersi si collega al mito dei Gemelli, mito che ritroviamo in tutte le antiche civiltà a indicare il principio binario del creato (vita-morte, giorno-notte, flusso-riflusso).

Dal punto di vista cosmogonico il bianco rappresenta l'asse est-ovest (simbolo della mutazione orizzontale: l'ovest è designato dal bianco lunare, dalla luce livida e notturna, l'est da quello dell'alba, preparazione al diffondersi dell'aurora); il nero indica l'asse nord-sud (simbolo della trascendenza verticale dove all'infinitamente basso si contrappone l'infinitamente alto, il centro della terra all'alto dei cieli).

Bianchi e neri sono inoltre i cavalli e i cavalieri che combattono in avverse schiere, i ballerini di certe danze rituali. Jung riferisce il sogno di un suo paziente che si vide come discepolo di un mago bianco vestito di nero il quale, dopo avergli insegnato ciò che sapeva, gli consigliò di rivolgersi a uno nero vestito di bianco. Innumerevoli sono le leggende tramandate dal folclore in cui il bianco e il nero sono metafore di femminile e maschile, buono e cattivo, ctonio e uranio, terrestre e celeste, positivo e negativo.

Il *nero* è universalmente associato alle tenebre primordiali, all'indifferenziazione, alla passività, alla morte come condizione finale, alla nigredo alchemica. Nelle religioni *precede* la creazione: secondo la Bibbia «prima che la luce fosse, la terra era informe e vuota, le tenebre ricoprivano l'Abisso». Per la mitologia ellenica agli inizi c'era il Caos che generò la Notte la quale a sua volta diede vita al Sonno e ai Sogni. Il nero si collega con l'idea del Male, con ciò che ritarda e ostacola l'evoluzione, con gli Inferi, con l'Ombra, con quanto si deve «vincere» per evolversi, per integrare la dualità dell'Essere.

Nei sogni evoca l'angoscia, l'impossibilità di vedere e per analogia sapere; il pessimismo, il dolore ma anche il contatto con quella parte più profonda di noi stessi che sfugge all'io consapevole.

Il *bianco* è il simbolo della purezza intesa tuttavia nel senso di un qualcosa che non si è ancora compiuto. Considerato ora assenza ora somma di colori, può essere quello della neve o della luce. Bianco è il vestito della sposa ma pure il lenzuolo in cui si avvolgono i morti.

Il candidato, che deriva etimologicamente da candido, è l'aspirante a una nuova condizione e così il bianco è inteso come passaggio da uno stato a un altro.

E poiché nella concezione esoterica la morte precede la vita (ogni nascita è una rinascita), bianco è il colore del lutto in Oriente, e in Occidente quello degli spettri e dei vampiri. Abbinato al rosso diventa simbolo della rivelazione e della grazia, la luce interiore che illumina i mistici.

Nei sogni viene interpretato nei significati di opposizione al nero ma non sempre in senso positivo. Può anche rappresentare la freddezza e l'abbandono, una solitudine che si vorrebbe ma non si riesce a superare.

Il simbolismo dei numeri

Abituati a considerare i numeri un'espressione quantitativa, tendiamo a dimenticare il significato simbolico che essi hanno avuto fin dall'antichità. Considerati da Pitagora, ma anche da Platone, la misura di tutte le cose, rappresentativi dei cicli cosmici, assunti dalla filosofia e dalla teologia, dalla musica e dall'architettura, dall'alchimia, dall'ermetismo, dalla magia, indicativi di *idee* e *qualità*, i numeri sono stati visti come lo strumento conoscitivo per eccellenza.

Poiché provengono da «un'intuizione che associa elementi omogenei», la loro funzione è quella del *rapporto*. Secondo le più remote tradizioni i primi nove (nel mondo orientale i primi dodici) sono entità archetipiche, princìpi-forza, mentre i seguenti sono la combinazione dei primi.

Accanto ai valori essenziali dell'unità e della molteplicità, essi rappresentano la polarità negativo-passiva (i numeri pari) e quella positivo-attiva (i dispari) e, nella sistemazione binaria, il doppio, l'eco, l'opposizione, l'alternativa.

I multipli di ogni numero hanno in generale lo stesso significato della base, mentre la numerologia li riduce ai nove fondamentali[1]. La successione numerica è inoltre l'espressione del principio dinamico e, secondo alcune teorie, ciascun numero «genera» il superiore (l'uno il due, il due il tre e così via), perché contiene il potenziale per superare il proprio limite o perché ogni entità tende a ribasarsi su se stessa o a opporsi a un'altra (dove si abbiano due elementi, il terzo appare come unione dei due dando luogo al tre).

Come le parole, i numeri sono l'evoluzione e la spiegazione del

---

[1] La *numerologia* è un'antichissima mantica che, eguagliando le lettere dell'alfabeto ai primi nove numeri, trasforma nomi, parole e date in una cifra finale ottenuta dalla somma dei numeri che la compongono (esempio cane = 3 + 1 + 5 + 5 = 14 = 5). La numerologia si propone non soltanto scopi divinatori ma anche descrittivi della personalità.

segno, ma, più delle parole, hanno mantenuto l'originario significato simbolico e archetipico.

Nei sogni, ai numeri si è attribuito e si attribuisce tuttora una
notevole importanza. Abbiamo visto che Artemidoro usava l'*i-
sopsefia* (riduzione della parola chiave di un sogno a un numero,
in base alla corrispondenza delle lettere dell'alfabeto con le cifre)
per interpretare i sogni di contenuto sfuggente o oscuro. E del numero si servivano anche gli oniromanti citati nella Bibbia (Giuseppe e Daniele).

I numeri appaiono talvolta nel sogno in modo esplicito (in questi casi la tradizione vuole che si corra a giocarli o si puntino in
scommesse), ma più sovente si deducono da immagini oniriche in
cui la quantità appare significativa. Se si sognano, per esempio,
due scarpe o sette alberi, il due e il sette si sganciano da ciò che indicano (scarpe e alberi) per assumere una propria valenza simbolica.

L'oniromanzia ha inoltre attribuito a ogni singola immagine onirica un numero corrispondente. L'usanza si perde nella notte dei
tempi, ma, come abbiamo già detto, rarissime sono le associazioni spiegabili in chiave analogica. Inoltre se si confrontano le varie
Chiavi dei sogni, che sotto il nome di *Smorfie* o con altri stravga-
ganti titoli circolano tuttora numerose, non ce n'è una che man-
tenga le stesse corrispondenze[2]. Ciò nonostante questi manuali
vengono compulsati e seguiti non solo da ingenui e creduloni, ma
anche da molte persone convinte di poter tradurre i loro sogni in
sonante denaro.

Abbiamo visto, del resto, quanto sovente la credenza popolare – e non solo popolare – colleghi i sogni con la fortuna e il ri-
trovamento di tesori. In questo senso i numeri, per evidente e restrittiva analogia, sorreggono una irriducibile speranza, quella
per cui la dea bendata elargirebbe i suoi incostanti favori tramite
i sogni.

Pur riconoscendo alla speranza, a qualsiasi tipo di speranza, una
funzione tutt'altro che secondaria, crediamo tuttavia che i numeri, quando appaiono nei sogni, debbano esser interpretati con un
criterio che tenga conto del loro valore simbolico. Daremo perciò

---

[2] Alla voce *gatto* troviamo per esempio 6, 81, 11; in un'altra *Smorfia* 3, 36, 51, 59. Per
fuoco 67 e 6 da una parte, 14, 20, 55 da un'altra. *Convento* è indicato con 17, 55, 71; oppure
con 33, 67. C'è davvero di che sbizzarrirsi.

qui di seguito alcune indicazioni sui primi nove che, come detto, rappresentano entità archetipiche.

Uno

Usato a raffigurare la verticalità, il bastone, lo scettro, la verga, il fallo, soprattutto l'essere umano (per la sua somiglianza con la nostra specie, l'unica «eretta»), l'*uno* è il simbolo del principio attivo e, nelle religioni monoteiste, di Dio (nell'ebraica il principio è espresso con una negazione: «Non avrai altro Dio all'infuori di me»).

Associato al punto che, quando sta in mezzo a un cerchio, significa la manifestazione (nelle più antiche civiltà d'Oriente e d'Occidente il cerchio con un punto nel mezzo raffigurava il sole e la sigla è rimasta invariata fino ai nostri giorni), l'uno è la vita non ancora manifesta e nello stesso tempo l'inizio di ogni manifestazione. È il centro che contiene e risolve gli antagonismi, che racchiude l'origine e il compimento.

Nella mitologia greca i Ciclopi, divinità ctonie che donarono a Zeus il fulmine e il tuono, avevano un occhio solo per rammentare ai mortali che l'uno, primo numero *dispari*, qualificava il divino (il mondo umano si associa con il pari, dunque con il due a raffigurare la frattura dell'unità e il tentativo di ritornarvi).

Jung include l'uno tra i simboli *unificatori* che, come la ruota e il mandala, conterrebbero un significato psichico particolarmente significativo.

Nei sogni l'uno appare raramente come cifra, piuttosto quale immagine singola (*un* cavallo, *una* bottiglia, *una* finestra, *un* melone – ricordiamo il sogno di Cartesio –, *un* libro, e così via). Significherebbe il processo d'individuazione, la capacità cioè di armonizzare gli aspetti contraddittori della psiche. Può anche indicare un qualcosa cui si aspira, un nuovo indirizzo che si vorrebbe dare alla propria vita, una «vocazione» non ancora chiaramente percepita dall'io consapevole.

Due

È il simbolo della prima e più radicale contrapposizione (giorno-notte, maschile-femminile, positivo-negativo, materia-spirito, amore-odio) che può comporsi nell'equilibrio e nella complementarità oppure fronteggiarsi nell'antagonismo e nell'incompatibilità.

Principio della *dialettica*, il due indica inoltre l'alternarsi e lo svolgersi dei fattori che rappresenta, dunque il divenire, l'evoluzione, il progresso, i quali per compiersi devono negare il precedente, il già dato, noto e posseduto. In questo senso è il simbolo della *Magna mater*, della madre che dà vita creando il diverso da sé.

Come doppio è stato invece raffigurato nella persona e nella sua ombra, nel principio binario, nelle coppie mitologiche, in particolare nei gemelli, che, abbiamo visto, rappresentano il legame tra mortale e immortale, il rapporto tra fisso e mutevole.

Nei sogni un'immagine che si raddoppia (due case, due porte, due barche, due animali, e così via) tende a rafforzare il significato simbolico dell'immagine stessa, ma può anche, al contrario, indicare uno «sdoppiamento», quindi indebolirne il contenuto. Tutto ciò che in sogno ha a che vedere con il due sarebbe indicazione di conferma e riprova, di un'eco e di un riflesso (la «riflessione» come sosta prima del procedere), o, infine, uno sprone a superare i conflitti.

Tre

Considerato numero perfetto, il tre è nella religione cristiana l'attributo di Dio (uno e trino) e sta a indicare il Padre, il Figlio e lo Spirito Santo; nella buddhista è il compimento (Buddha, Dharma e Sangha sono il «triplice gioiello»); nell'indù l'armonia dell'universo (Brahma il creatore, Visnù il conservatore, Çiva il trasformatore).

Tre sono le Parche, tre le Grazie, le virtù teologali, i princìpi cabalistici (soggetto, verbo, oggetto), gli elementi della grande opera alchemica (lo zolfo, il mercurio, il sale), le fasi dell'esistenza (nascita, crescita, morte). Tre sono i re Magi che portano a Gesù i tre attributi (oro, incenso e mirra) che competono al re, al sacerdote e al profeta. Tre sono le lettere di *Aum*, il più potente mantra indiano con cui si evoca e si ringrazia, che apre e chiude la meditazione e significa la «manifestazione» del divino e da cui sarebbe derivato l'ebraico *Amen*, adottato dalla liturgia cristiana con il significato di «così sia».

Il tre, esprimendo il superamento del due, dunque della rivalità e dell'opposizione, è la risoluzione o la sintesi raffigurata nel principio ternario e nel *triangolo*, figura geometrica cui si attribuisce la proporzione, l'armonia, la saggezza (il sigillo di Salomone era composto da due triangoli e, nella tradizione giudaica, il triangolo sostituiva il nome di Dio che non si doveva pronunciare).

Il tre apparirebbe solo nei grandi sogni e sarebbe segno di compimento, o promessa di compimento, la possibile soluzione di aspirazioni conflittuali. La tradizione oniromantica vuole che la «terza parte» di un sogno indichi ciò che non si avvera. L'analisi freudiana associa il tre al triangolo che, se ha la punta rivolta verso l'alto, rappresenta il sesso maschile, se rivolta verso il basso il femminile. Queste due figure erano usate nell'antichità quali simboli del fuoco la prima, la seconda dell'acqua. Per analogia, sognare forme triangolari sarebbe segno di fecondità o al contrario di sterilità non solo in senso biologico.

Quattro

Quattro sono gli elementi, le stagioni, le fasi della luna, i punti cardinali, i venti, i pilastri dell'universo, le lettere del nome di Dio (*Yhvh*), quelle del primo uomo (Adam), i fiumi dell'Eden, gli evangelisti, i cavalieri dell'Apocalisse, le mura di Gerusalemme, le porte dell'iniziazione.

Simbolo della solidità, della pienezza, del tangibile, del terrestre, il quattro si collega al *quadrato*, alla *croce*, al *quadrivio*. Il *quadrato* è stabile, definito, chiuso; evoca l'equilibrio psichico, la salute come robustezza organica, ma anche la stagnazione, l'immobilismo, la prigione, la mancanza di elasticità (gli «angoli» del quadrato, antitesi delle «curve», sono spigolosi). Nei sogni può indicare la concretezza, la limitazione, la mediocrità, il non saper uscire da stati d'animo o situazioni stereotipe e, inversamente, la volontà, la coerenza, la determinazione (si dice di una persona che è «quadrata» per indicarne le qualità e nello stesso tempo i limiti).

La *croce* è uno dei simboli più antichi ed è stato considerato nelle più disparate civiltà il terzo dei quattro fondamentali (il centro, il cerchio, la croce, il quadrato). La croce infatti contiene il primo (l'intersezione delle braccia forma un centro), è contenuta nel secondo (la si può iscrivere dentro al cerchio), e genera il quarto (collegando con quattro rette le braccia).

Usata universalmente a indicare i quattro punti cardinali, è il simbolo dell'*orientamento*: non solo di quello spaziale ma anche del temporale e dello psichico. La cristianità ne ha fatto il simbolo della salvezza.

Nei sogni può indicare la lacerazione e la sofferenza, o, al contrario, l'aspirazione spirituale e la maturazione. Altre volte rappresenta la necessità di scegliere e in questo senso si collega al *quadrivio* che, ancor più del bivio, raffigura le direzioni (avanti, indietro, destra, sinistra) in cui possiamo dirigerci, le possibilità che la vita ci offre e quelle che sono o ci sembrano impedite.

Perciò, quando in sogno ci appaiono immagini che hanno a che vedere con il quattro e con i simboli a esso connessi, si tende a interpretarle come una sollecitazione a prendere delle decisioni, a rispondere alle domande che l'io consapevole tralascia o rimuove.

Cinque

Formato dal due o dal tre, dunque da valori antitetici che tuttavia media, numero di mezzo dei primi nove, il cinque, considerato simbolo d'unione e di centralità dai pitagorici, rappresenta l'*armonia* (la stella a cinque punte, il pentagramma, il fiore a cinque petali raffigurano nelle concezioni esoteriche la «quintessenza»).

Emblema del microcosmo, della vita manifesta, è stato usato per contenere la figura umana disegnata con le braccia e le gambe aperte a formare un pentagono, il cui vertice è la testa. Anche la mano, che ha cinque dita, se la si disegna staccata dal polso ha cinque lati e riconferma la simbologia dell'agire e per estensione della volontà necessaria a metter in atto le intenzioni. Forse è questa la ragione per cui, a parere piuttosto unanime, il cinque appare raramente nei sogni, privi, per loro natura, di facoltà decisionale.

Sei

Essendo formato da due tre, il sei dovrebbe racchiudere il massimo della perfezione. Il fattore base, raddoppiandosi, si contrappone invece a se stesso, trasformando il sei in un simbolo ambivalente che assume il significato di *prova*. In questo senso è raffigurato nella stella di Davide, emblema di Israele: la stella a sei punte composta da due triangoli rovesciati, come il sigillo di Salomone, che, abbiamo visto, indica due polarità antitetiche.

Ma è anche il numero dell'Anticristo che sarà «marcato con il nome della *Bestia* o dalla cifra del suo nome... L'uomo saggio calcoli questa cifra, che è una d'uomo: è il 666» (*Apocalisse* 13, 17-18). (La cifra è ottenuta dalla somma dei valori numerici corrispondenti alle lettere.) Dalla definizione biblica è derivato il significato peggiorativo attribuito al sei, la sua identificazione, enfatizzata dal cristianesimo, con il peccato.

Nei sogni questo numero nonché l'esagono, che lo rappresenta geometricamente, sarebbe sintomo di difficoltà, di dubbio, d'incapacità o impossibilità di scegliere, e in certi casi indicherebbe gli stati ansiosi, quell'angoscia che precede e accompagna le nevrosi.

Sette

Numero sacro e anche *magico*, il sette corrisponde ai giorni della settimana, ai pianeti, ai gradi della perfezione, ai colori dell'arcobaleno, alle note musicali, ai petali della rosa, ai rami dell'albero cosmico. Sette sono i giorni delle quattro fasi lunari e a sette volte quattro assomma il ciclo della luna. Nella mitologia greca sette erano le porte di Tebe, le Esperidi, le corde della lira, le sfere celesti, e il settimo giorno del mese si celebravano i riti del culto di Apollo.

Sette sono i cieli buddhisti e in Occidente per esprimere il culmine della felicità si dice d'essere «al settimo cielo».

Simbolo di totalità e di compimento, il sette contiene il principio del divenire: dopo aver creato il mondo in sei giorni, il settimo Dio riposò. Questo *settimo giorno* è stato interpretato dall'esegesi teologica come la contemplazione dell'opera compiuta e il distacco di Dio dalla medesima, per permettere al creato di riposarsi in Lui.

Sette è il numero chiave dell'*Apocalisse* dove designa i re, i tuoni, le trombe, le chiese, le stelle, le inondazioni, il volere divino. E ancora sette gli anni impiegati da Salomone per costruire il Tempio, e quelli delle vacche grasse e delle vacche magre predetti da Giuseppe al Faraone.

Sette gli orifizi del corpo umano e quelli celesti attraverso i quali il pleroma angelico si rivela ai mistici sûfi. Somma del tre e del quattro, è il simbolo dell'uomo completo, del maschile e del femminile, dello spirito e del corpo.

Nonostante la ricchezza e l'universalità della simbologia, o forse proprio per questo, il sette appare raramente nei sogni e la sua interpretazione non può esser disgiunta da una più ampia analisi della personalità del sognante. In senso generale rappresenta un'«iniziazione» a un livello diverso dal consapevole e, se si riesce a percepirne il significato, può indicare quelle metamorfosi interiori che talvolta mutano il senso della vita.

Otto

Numero della Rosa dei venti, il cui grafico è una croce più quattro direzioni intermedie, e dei raggi dell'antica ruota (in Oriente la ruota si identifica con il mandala), l'otto sta a indicare l'equilibrio, la centralità, la giustizia (raffigurata dagli gnostici in forma di ottagono). A differenza del sei, dove la somma dei tre altera la «perfezione» del numero base, l'otto, composto da due quattro, esalta il significato concreto e positivo del quattro, aggiungendovi un valore di equidistanza, equità, tolleranza: valori che assume anche nell'interpretazione onirica.

Considerato dall'oniromantica segno di fausto presagio, associato nei tarocchi alla giustizia (la lama ottava degli Arcani maggiori la raffigura), se posto orizzontalmente è in matematica il segno dell'infinito.

Quando appare nei sogni può indicare l'equilibrio affettivo non disgiunto da una lucida consapevolezza delle mete che si desiderano raggiungere. In quest'ultimo senso si collega al mondo diurno più che all'onirico e talvolta ne rappresenta quei «residui» che ci fanno dubitare d'aver vissuto o sognato.

Nove

Ultimo della serie dei numeri primi, il nove è stato associato all'Oruboros, il serpente che si morde la coda, di cui abbiamo detto, che rappresenta il principio e la fine, la morte e la rinascita, il ciclo stagionale e quello zodiacale.

È il simbolo della pienezza, della *gestazione* (nove sono i mesi che una creatura umana impiega per nascere), dell'*amore* (Dante lo attribuisce a Beatrice). I riti purificatori richiedevano una triplice abluzione ternaria e così numerose pratiche magiche si basano sul tre volte tre. Nella tradizione ebraica indicava la *verità* (moltiplicato per se stesso si «riproduce», nel senso che se si sommano le cifre dei totali si ottiene sempre nove). Secondo gli evangelisti, Gesù fu crocifisso alla terza ora, entrò in agonia alla sesta e spirò alla nona.

Essendo il quadrato di tre, è stato usato per esprimere l'infinito; ripetuto sei volte (999.999) indicherebbe la conoscenza sapienzale, e in senso mistico la ricongiunzione dell'individuo al Tutto.

Quando appare nei sogni annuncerebbe il compimento di un ciclo e l'inizio di uno nuovo, lo stimolo ad andare *oltre* ciò che si è raggiunto.

Il nove chiude la serie archetipica iniziata con l'uno. Valori fortemente simbolici sono stati tuttavia attribuiti anche ad altri numeri. Il *dieci*, per esempio, indicherebbe la Legge (i dieci comandamenti); il *dodici* il principio spazio-temporale (composto dalla moltiplicazione del tre [il tempo] e del quattro [lo spazio] indica i dodici mesi, i dodici segni zodiacali, e trasposto spiritualmente i dodici apostoli); il *diciassette* (considerato nefasto fin dal tempo degli antichi romani: scomponendone le lettere [XVII] e mutandone l'ordine [VIXI] se ne ricava il significato di «ho vissuto», cioè di fine dell'esistenza).

Un cenno particolare merita infine lo *zero*. La parola deriva da un termine arabo che vuol dire vuoto. Come segno numerico non ha valore in se stesso, ma aggiunto ai numeri li amplifica. Simbolicamente rappresenta il latente, il potenziale, ciò che ancora non è. Nei sogni può indicare l'assenza o il riflesso di uno stato d'animo e, se riferito a una persona, suggerisce che essa sta per qualcun altro o per il «ruolo» che questa ricopre nell'immagine onirica.

Post scriptum

Nel concludere il glossario non posso che ripetere l'invito a considerarlo con grande cautela. Ogni notte facciamo più di un sogno e ogni sogno contiene sequenze di immagini che sovente, quando le rammentiamo da svegli, pongono interrogativi invece di rispondervi.

Inoltre, anche se si ha dimestichezza con i simboli, non è sempre agevole darvi il giusto significato e spessore, né individuare la loro connessione con i sogni.

Sembra quasi che l'attività onirica voglia prenderci in giro: come un'emittente che invia urgenti segnali in un codice segreto ci trasmette informazioni che fatichiamo a capire.

Da secoli, anzi da millenni, si sostiene che il codice è decifrabile. Se non condividessi questa opinione non avrei scritto il presente libro e tanto meno l'avrei corredato di un glossario che, come detto, tenta di dare un'idea, per quanto approssimativa, dei princìpi e meccanismi che presiedono alla simbologia onirica.

Vorrei tuttavia metter in guardia il lettore: ogni sogno ha una trama, provvista di personaggi, evenienze, panorami che, pur bizzarra, costituisce il tessuto narrativo del sogno. Nella trama ci sono delle immagini più significative di altre; esse rappresentano il filo di Arianna che può condurci fuori dal labirinto. A meno che non si tratti di sogni ad alto contenuto emotivo, individuarle non è così semplice. È mia convinzione che si debba diffidare delle teorie e delle tecniche che trasformano il filo in solida fune. La letteratura onirica abbonda di esempi in cui l'interpretazione del sogno viene data come se non potesse esser che quella e gli stessi esempi sono scelti in modo da confermare il metodo. Se la notte seguente l'indigestione la piccola Anna avesse sognato dei gattini invece delle fragole, Freud avrebbe faticato a motivare il sogno come adempimento di un desiderio. Ma, si dirà, Anna sognò fragole e non gattini, dunque il sogno confermava la teoria. Tuttavia, senza sminuire l'importanza del sistema freudiano né metter in dubbio la buona fede di Freud, è possibile che il sogno di Anna contenesse altre immagini che non furono raccolte o cui venne dato insufficiente rilievo.

Con ciò si vuol dire che l'interpretazione dei sogni dovrebbe evitare ogni idea precostituita, semmai nutrirsi di *dubbi*. E non solo nello scegliere, tra le molte, l'immagine chiave, ma anche, una volta che la chiave sia stata individuata, nell'attribuirvi uno piuttosto che un altro significato.

Una lunga consuetudine a lavorare con i simboli mi ha forse indotto a sopravvalutare i possibili errori delle discipline che su di essi si basano. Se si danno per scontate le loro connessioni, si affievolisce la capacità di percepire il diverso valore che assumono da caso a caso e da sogno a sogno.

Mi affido dunque all'intuito del lettore con la speranza che, confrontando le immagini dei suoi sogni con le simbologie proposte non solo nel glossario ma nel corso di tutto il volume, possa trovare qualche suggerimento e qualche ispirazione per intendere almeno una parte di ciò che il sogno gli comunica o gli cela.

Mi auguro che egli possa rendersi conto che la chiave dei sogni sta in quei simboli che sono dentro di noi, presenti e vitali, purché si sia disposti ad ascoltarne la voce.

Solo attraverso questa «lettura» si potrà scoprire il senso di quelli che abbiamo tentato di evocare e collegarli alla propria vicenda esistenziale.

Jung non si stancava di ripetere che «si sogna in primo luogo e quasi esclusivamente di se stessi», considerazione che non dovrebbe mai abbandonarci quando ci avviamo a esplorare l'ineffabile ma non effimera *dimensione del sogno*.

Se infine ripensiamo alla metafora della porta di corno e di quella d'avorio con mente sgombra da pregiudizi, potremmo accorgerci che è meno ingenua di quanto i nostri smaliziati, e a volte presuntuosi, occhi odierni sono portati a vederla.

Mentre scrivevo questo libro mi è venuto in mente che si dovrebbe però rovesciarla: non sono i sogni che vengono a noi con i loro presagi attraverso simboliche porte, siamo noi che, per avvicinarci al mondo onirico, dobbiamo passare una porta, la porta che ci introduce nel regno dell'*immaginazione*.

Si tratta di un regno di memorie e presagi, noto e nello stesso tempo ignoto, un immenso serbatoio, il cui contenuto muove la vita.

Come il mulino, azionato dall'acqua o dal vento, macina il grano, così il sogno rielabora ricordi e presentimenti, dubbi e certezze, banalità e follie, desideri e compensazioni, speranze e inganni, possibilità e limiti, ombre e luci.

Sta a noi scegliere cosa farne di questa «farina».

Bibliografia

ABRAHAM, K., *Psicoanalisi e mito*, Newton Compton, Roma 1971.
AEPPLI, E., *I sogni e la loro interpretazione*, Astrolabio, Roma 1953.
ALEXANDRIAN, S., *Le surréalisme et le rêve*, Gallimard, Paris 1974.
ARTEMIDORO, *Il libro dei sogni*, a cura di Dario Del Corno, Adelphi, Milano 1975.
ATANASIO, *Vita di Antonio*, trad. di Pietro Citati e Salvatore Lilla, Mondadori, Milano 1974.
AA.VV., *Art and thought*, Luzac, London 1947.
AA.VV., *I colloqui di Royaumont*, Laterza, Bari 1965.
AA.VV., *I linguaggi del sogno*, a cura di Vittore Branca, Sansoni, Firenze 1984.
AA. VV., *Sources Orientales*, Seuil, Paris 1959.
AYALA, F., *Realidad y ensueño*, Gredos, Madrid 1963.
BACHELARD, G., *La terre et les rêveries de la volonté*, José Corti, Paris 1962.
BACHELARD, G., *L'eau et les rêves*, José Corti, Paris 1972.
BAILLET, A., *Vie de monsieur des Cartes*, D. Horthemels, Paris 1961.
BASTIDE, R., *Sogno, trance e follia*, Jaca Book, Milano 1976.
BAUDELAIRE, CH., *Oeuvres complètes*, Gallimard, Paris 1975.
BÉGUIN, A., *L'anima romantica e il sogno*, Il Saggiatore, Milano 1967.
BENDER, H., *Sesto senso*, Feltrinelli, Milano 1974.
Berakoth, Talmud of Babilonia, a cura di M. Simon, London 1948.
BERGONI, A., *Cenni storici sul gioco del lotto*, Sten, Torino 1921.
BERGSON, H., *Le rêve*, F. Alcan, Paris 1901.
BORGES, J.L., *Finzioni*, trad. it. di Franco Lucentini, Einaudi, Torino 1967.
BOZZANO, E., *Le luci del futuro*, Europa, Verona 1947.
BRACHFELD, F.O., *Come interpretare i sogni*, Garzanti, Milano 1951.
BRETON, A., *Les vases communicants*, Gallimard, Paris 1955.
BRUNET, P., *Le sommeil et le rêves*, Stock, Paris 1924.
BRUNET, P., *Manifesti del surrealismo*, Einaudi, Torino 1969.
CAILLOIS, R., *La forza del sogno*, Guanda, Parma 1963.
CAILLOIS, R., *L'incertezza dei sogni*, Feltrinelli, Milano 1983.
CALDERÓN DE LA BARCA, P., *La vita è sogno*, Einaudi, Torino 1983.
CAMPO, C. e DRAGHI P., *Detti e fatti dei padri del deserto*, Rusconi, Milano 1975.
CANTONI, R., *Il pensiero dei primitivi*, Il Saggiatore, Milano 1963.
CASSIRER, E., *Filosofia delle forme simboliche*, La Nuova Italia, Firenze 1976.
CASSIRER, E., *Linguaggio e mito*, Il Saggiatore, Milano 1968.
CASTANEDA, C., *Il dono dell'aquila*, Rizzoli, Milano 1983.
CHOCHOD, *Occultisme et magie en Extrême-Orient*, Payot, Paris 1949.
CICERONE, *Il sogno di Scipione*, Loescher, Torino 1970.
CICERONE, *Tratta dei doveri*, Zanichelli, Bologna 1966.
CITATI, P., *La primavera di Cosroe*, Rizzoli, Milano 1977.
CORBIN, H., *Le soufisme de Ruzbehan*, «Eranos Jahrbuch», XXII, Zürich 1959.
DE QUINCEY, TH., *Confessioni di un oppiomane*, Einaudi, Torino 1973.
DE SANCTIS, S., *I sogni*, Bocca, Torino 1899.

DESCARTES, R., *Discours sur la méthode*, Gallimard, Paris 1953.

DESOILLE, R., *Les rêves et le moyen de les diriger*, Payot, Paris 1973.

DESOILLE, R., *Oeuvres et Lettres*, Gallimard, Paris 1953.

DETTORE, U., *Storia della parapsicologia*, Armenia, Milano 1976.

DIEL, P., *Le symbolisme dans la mythologie grecque*, Presses Universitaires de France, Paris 1950.

DI LUCA, G., *La vera e completa smorfia del gioco del lotto*, Bideri, Napoli s.d.

DODDS, E.R., *I greci e l'irrazionale*, La Nuova Italia, Firenze 1973.

DREWES, A., *Das ästhetische Verhalten und der Traum*, Leipzig 1901.

EISENBUD, J., *Paranormal Foreknowledge*, Human Science Press, New York 1982.

ELIADE, M., *Immagini e simboli*, Jaca Book, Milano 1980.

ELIO ARISTIDE, *Discorsi sacri*, a cura di Salvatore Nicosia, Adelphi, Milano 1984.

EMMANUEL, P., *Études Carmélitaines*, Polarité du symbole, Paris 1960.

ERACLITO, *Frammenti*, La Nuova Italia, Firenze 1978.

FARADAY'S, A., *Dream Power*, Berkeley, New York 1973.

FARINELLI, A., *La vita è un sogno*, Bocca, Torino 1916.

FERRIÈRE, G., *Gérard de Nerval*, Alphonse Lemerre, Paris 1951.

FLORENSKY, P., *Le porte regali*, Adelphi, Milano 1981.

FONDI, R., *Organicismo ed evoluzionismo*, Il Corallo, Padova 1985.

FREUD, S., *Autobiografia*, Boringhieri, Torino 1977.

FREUD, S., *L'interpretazione dei sogni*, Astrolabio, Roma 1952.

FREUD, S., *Le origini della psicoanalisi: lettere a Wilhelm Fliess 1887-1902*, Boringhieri, Torino 1961.

FREUD, S., *Il sogno*, Boringhieri, Torino 1975.

FREUD, S., *Il sogno e la sua interpretazione*, Newton Compton, Roma 1994[5].

FREUD, S., *Sogni nel folklore*, Boringhieri, Torino 1976.

FREUD, S., *Opere 1988/1905, 1905/1921*, 2 voll., Newton Compton, Roma 1992.

FROMM, E., *Grandezza e limiti del pensiero di Freud*, Mondadori, Milano 1979.

FROMM, E., *La missione di Sigmund Freud*, Newton Compton, Roma 1972.

FROMM, E., *Il linguaggio dimenticato*, Bompiani, Milano 1961.

FROMM, E. e FRENCH TH. M., *I sogni, problemi di interpretazione*, Astrolabio, Roma 1970.

GIANNANTONI, G., *I presocratici. Testimonianze e frammenti*, Laterza, Bari 1969.

GREEN, J., *Journal*, Plon, Paris 1951.

GUENON, R., *Il simbolismo della croce*, Rusconi, Milano 1973.

GUENON, R., *Symboles fondamentaux de la Science Sacrée*, Gallimard, Paris 1962.

GUTHEIL, E., *Manuale per l'analisi del sogno*, Astrolabio, Roma 1972.

HADFIELD, J.A., *Sogni e incubi in psicologia*, Giunti, Firenze 1962.

HERVEY DE SAINT-DENIS, M.-J.-L. DE, *Les rêves et les moyens de les diriger*, Tchou, Paris 1964.

HERZOG, R., *Die Wunderheilungen von Epidaurus*, Leipzig 1931.

HILLMAN, J., *Il sogno e il mondo infero*, Comunità, Milano 1984.

IBN GARIR AL TABARI, M., *Vita di Maometto*, Rizzoli, Milano 1985.

JONES, E., *Vita e opere di Sigmund Freud*, 3 voll., Il Saggiatore, Milano 1962.

JUNG, C.G., *La psicologia del sogno*, Boringhieri, Torino 1980.

JUNG, C.G., *L'uomo e i suoi simboli*, Mondadori, Milano 1984.

JUNG, C.G., *Opere complete*, Boringhieri, Torino 1980.

JUNG, C.G., *Psicologia e alchimia*, Boringhieri, Torino 1981.

JUNG, C.G., *Ricordi, sogni, riflessioni di C. G. Jung*, Rizzoli, Milano 1978.

KEPLERO, G., *Somnium*, Theoria, Roma 1984.

KERÉNYI, C., *Gli dei e gli eroi della Grecia*, Il Saggiatore, Milano 1972.

KIPLING, R., *Many Inventions*, Appleton, New York 1899.

La smorfia, Longanesi, Milano 1982.

LE GOFF, J., *Tempo della Chiesa e tempo del mercante*, Einaudi, Torino 1977.

Le mille e una notte, a cura di M. Jevoletta, Mondadori, Milano 1984.

LEOPARDI, G., *Opere*, Utet, Torino 1977.

LÉVY-BRUHL, L., *La mentalità primitiva*, Einaudi, Torino 1966.

LINCOLN, J.S., *The dream in primitive cultures*, Cresset, London 1935.

LOWES, J.L., *The Road of Xanadu*, Constable and C., London 1927.

MALINOWSKI, B., *Sesso e repressione sessuale tra i selvaggi*, Boringhieri, Torino 1969.

MARITAIN, J., *Le songe de Descartes*, Cahiers de la Quinzaine, serie 21, n. 5, Paris 1931.

MASLOW, A., *Verso una psicologia dell'essere*, Ubaldini, Roma 1971.

MASSIGNON, L., *L'âme de l'Iran*, Presses Universitaires de France, Paris 1969.

MAURY, A., *Le sommeil et les rêves*, Paris 1861.

MERCIER, M., *Le monde magique des rêves*, Dangles, St.-Jean 1980.

MONTAIGNE, M. DE, *Apologie de Raimond Sébond*, Paris 1926.

MONTALVÁN, J. P. DE, *Indice de los Ingenios de Madrid*, Madrid 1635.

MORALDI, L., *L'aldilà dell'uomo*, Mondadori, Milano 1985.

MORENZ, S., *Gli egizi*, Jaca Book, Milano 1983.

MUSATTI, C., *Freud*, Einaudi, Torino 1959.

NERVAL, G. DE, *Le figlie del fuoco. Aurelia. La mano stregata*, Rizzoli, Milano 1954.

OMERO, *Odissea*, trad. it. di G. Aurelio Privitera, 6 voll., Mondadori, Milano 1985.

OPPENHEIM, L.M., *The interpretation of dreams in the Ancient Near East*, The American Philos. Soc., Philadelphia 1956.

ORMESSON, J. DE, *Dio, la sua vita, le sue opere*, Rizzoli, Milano 1982.

OTTO, R., *Le sacré*, Payot, Paris 1969.

OVIDIO, *Metamorfosi*, a cura di Piero Bernardini Marzolla, Einaudi, Torino 1979.

PAPINI, G., *Poesia e fantasia*, Mondadori, Milano 1950.

PAPUS, *La science des nombres* (edito dall'autore), Paris 1934.

Papyrus Carlsberg, National Library, London.

Papyrus Chester-Beatty, National Library, London.

Papyrus Insinger, National Library, London.

PASCAL, B., *Pensieri*, Einaudi, Torino 1970.

PEAR, T.H., *Remembering and forgetting*, Dutton & Co., New York 1922.

PLATONE, *Timeo*, Laterza, Bari 1974.

POLO, M., *Il milione*, Mondadori, Milano 1982.

PROUST, M., *I Guermantes*, Einaudi, Torino 1978.

QUEVEDOY VILLEGAS, F. DE, *Los sueños*, Principato, Milano 1972.

QUEVEDOY VILLEGAS, F. DE, *Obras completas*, Soc. Bibliofilos Andaluces, Sevilla 1897.

RABELAIS, F., *Gargantua e Pantagruel*, Sansoni, Firenze 1980.

RACHEWILTZ, B. DE, *Segni e formule nella magia dell'antico Egitto*, Il Falco, Milano 1984.

REICH, W., *L'analisi del carattere*, Sugar, Milano 1973.

RESNIK, S., *Il teatro del sogno*, Boringhieri, Torino 1982.

RICHARDS, J.A., *Coleridge on Imagination*, Rutledge, London 1950.

RIEMSCHNEIDER, M., *Miti pagani e miti cristiani*, Rusconi, Milano 1973.

ROHEIM, G., *Le porte del sogno: il ventre materno*, Guaraldi, Rimini 1973.

RUA, G., *Novella di «Mambriano» del cieco di Ferrara*, Paravia, Torino 1888.

RYCROFT, C., *L'innocenza dei sogni*, Laterza, Bari 1980.

SANTILLANA, G. DE, *Fato antico e fato moderno*, Adelphi, Milano 1985.

SCHOLEM, G. C., *La Kabbalah e il suo simbolismo*, Einaudi, Torino 1980.

Scienza e percezione extra-sensoriale, a cura di J. R. Smythies, De Donato, Bari 1968.

SERVADIO, E., *Il sogno*, Garzanti, Milano 1955.

SEVERINO, E., *La filosofia antica*, Rizzoli, Milano 1984.

SHAKESPEARE, W., *La bisbetica domata*, Garzanti, Milano 1982.

SHAKESPEARE, W., *La tempesta*, Garzanti, Milano 1982.

SOUTHERN, R.W., *Saint Anselm and his Biographer*, Birbeck Lectures, Cambridge 1963.

STEFFENS, H., *Le Romantisme allemand*, Cahiers du Sud, Paris 1937.

STEVENSON, R.L., *Dreams, Lantern Bearers, Random Memories in Work*, a cura di S. Osbourne, Tusitala, London 1923.

STOCKER, A., *Les rêves et les songes*, St.-Augustin, Paris 1945.

SWEDENBORG, E., *Il libro dei sogni*, Il Melograno, Roma 1981.

TABUCCHI, A., *Piccoli equivoci senza importanza*, Feltrinelli, Milano 1985.

TEILLARD, A., *Il mondo dei sogni*, Feltrinelli, Milano 1980.

THOMAS, K., *L'autoanalisi dei sogni*, Edizioni Mediterranee, Roma 1977.

Upanishad, Boringhieri, Torino 1968.

VIRGILIO, *Eneide*, a cura di Ettore Paratore, trad. it. di Luca Canali, 6 voll., Mondadori, Milano 1979.

WEST, J.A., *Serpent in the sky*, Harper & Row, New York 1979.

WILSON, C., *Nuevos derrotes en psicologia*, Diana, Mexico 1979.

ZOLLA, E., *Conoscenza religiosa*, La Nuova Italia, Firenze 1976.

Tascabili Economici Newton, sezione dei Paperbacks
Pubblicazione settimanale, 26 novembre 1994
Direttore responsabile: G.A. Cibotto
Registrazione del Tribunale di Roma n. 16024 del 27 agosto 1975
Fotocomposizione: Sinnos Coop. Sociale a r.l., Roma
Stampato per conto della Newton Compton editori s.r.l., Roma
presso la Rotolito Lombarda S.p.A., Pioltello (MI)
Distribuzione nazionale per le edicole: A. Pieroni s.r.l.
Viale Vittorio Veneto 28 - 20124 Milano - telefono 02-29000221
telex 332379 PIERON I - telefax 02-6597865
Consulenza diffusionale: Eagle Press s.r.l., Roma

Il sapere

Enciclopedia tascabile Newton
100 pagine 1000 lire

Caro lettore,

ritagli e invii in busta chiusa, dopo aver risposto alle nostre domande, la scheda allegata.

Riceverà in omaggio periodicamente il nostro catalogo.

Dove ha acquistato il libro?
☐ libreria   ☐ edicola   ☐ ipermercato   ☐ regalo

Ritiene di aver acquistato, indipendentemente dall'opera, un prodotto editoriale:
☐ scadente   ☐ mediocre   ☐ buono   ☐ ottimo

Barri con una X le aree di lettura che predilige:
☐ narrativa   ☐ filosofia   ☐ antropologia   ☐ storia
☐ psicologia   ☐ poesia   ☐ letteratura   ☐ saggistica
☐ politica   ☐ fiabe   ☐ teatro   ☐ cucina
☐ architettura   ☐ arte   ☐ magia   ☐ musica
☐ giallo   ☐ orrore   ☐ fantastico   ☐ avventura
☐ fantasy   ☐ fantascienza   ☐ rosa   ☐ archeologia

nome .... cognome ....

età .... professione ....

Via .... n. ....

CAP .... Città .... (......)

Spedire a: Newton Compton editori
Via della Conciliazione, 15
00193 ROMA
Tel. 06/68803250

Richiesta volumi arretrati

(Spedizione contrassegno senza alcun contributo per spese postali)

N.B. Per richieste di importo inferiore a L. 5.000, inviare, unitamente alla cedola libraria, francobolli di importo pari all'ordine.

Numero collana	Numero copie	Titolo	Importo

Data _____ Firma _____